Disbelief
100 Russian
Anti-War Poems

Disbelief
**100 Russian
Anti-War Poems**

Edited by
Julia Nemirovskaya

Smokestack Books
1 Lake Terrace, Grewelthorpe,
Ripon HG4 3BU
e-mail: info@smokestack-books.co.uk
www.smokestack-books.co.uk

Copyright of the Russian texts
remains with the authors and their estates.

English translations
copyright the translators.

Introduction copyright
Julia Nemirovskaya.

ISBN 9781739772277

Smokestack Books
is represented by
Inpress Ltd

Содержание

Contents

Introduction

On 24 February 2022, Putin began a 'special military operation' in Ukraine. As the world watched in horror, the unthinkable unfolded: a full-scale war broke out in twenty-first century Europe, complete with bombed-out cities, tens of thousands of casualties, millions of traumatized refugees, a threat to the world food supply, and a blow to the international economy that hadn't yet recovered from the crisis of Covid 19. Ukrainians have been horrified, enraged, devastated, and united as never before. For Ukrainian poets, it has been important to find a new voice with which to describe the enemy's atrocities and express their rage in the face of this aggression. For those in Russia who withstood Putin's omnipresent propaganda machine and opposed the war – at a time when merely calling it a war rather than a special operation was punishable by as much as 15 years in prison – the horror also included struggling with a sense of deep personal responsibility for the outrage taking place before their eyes. Russophone poets from everywhere have been ravaged by the sight of their native tongue, the Russian language, wielded by Putin as an instrument of suppression and cultural erasure in Ukraine.

The war in Ukraine, just as World War II before it, has inspired countless Russian-language poets from different parts of the Soviet Union to take up the pen; but if at that time Soviet poets supported the state against Nazi Germany and yearned for victory, those who are responding to today's events in Ukraine condemn both the state and Putin's aggression. Some of the poets who lived in Russia left in protest. It quickly became clear that help was needed to gather and safeguard the poems they were writing, which is how the *Kopilka* Project was born. Kopilka – which means a piggy-bank in Russian – was founded in the United States, a place beyond Putin's reach, where these poems could be collected and preserved. Soon, Kopilka came to include the work of Russophone Ukrainian and diaspora poets, many of them bilingual, who insisted on using the Russian language for their poetry of protest, in order to subvert Putin's use of Russian in propaganda and state control; as one bilingual poet put it, 'I refuse to abandon the language to the Putinites!' Those whose shock was too strong to be able to write any new poems but who wanted to express their anger and protest, sent the Coin Bank editors their old anti-war poems, written after 2008, the year of Putin's invasion of Georgia, and especially after 2014, the year of his annexation of Crimea.

Kopilka's collection is represented here by 100 powerful poems along with their English translations, prepared by a number of North American and British translators. While the facts of the war in Ukraine continue to be well-documented by a number of organizations, poetry adds an important dimension to our understanding of the war, exposing its inhumanity and absurdity in a form that is immediately accessible and relatable. The poems are presented here in alphabetical order by their author's name, but have been chosen so that each one is building on the previous ones, conveying the shock experienced by millions after the onset of Putin's aggression. Like waves of pain or tragic musical chords, each poem adds its own perspective on the events of this year and turns our experience into something deeper, more subtle, or more macabre than just grief.

Yulia Fridman exposes the absurdity of Russian propaganda taken at face value by at least two-thirds of the population:

> When we had liberated Ukraine from the Nazis,
> Poland from Martians, Finland from dog-headed men...
> We were compelled to raze Estonia from the map,
> since the ichthyosaurs took over step by step...
> In Latvia too, we destroyed all signs of life,
> we had no choice – the West forced our hand!

In his many-layered and complex poems, Andrei Grishaev envisions the bloody tyrant as a gnat and decries the change of landscape when everyday things begin to look ominous:

> Fields are growing evil pods
>   And the sun falls down on us
> Lighting up the whole old world
> From the hills appears a bud

Down the crack a gnat has crawled
The commander of red blood.

Yulii Gugolev writes about the omnipresent, inescapable fact of ongoing war through a metaphor of stains that spread to encompass the entire world:

These stains are staring like eyes.
They're like brand marks, raw and burning.
I let them soak for the night,
thought they'd be gone by morning.

But with all the scrubbing and scouring
it stayed, spread to my skin, everywhere.
And the salty taste of iron
in the sky, on my lips, in the air.

Nadya Delaland laments the loss of life by turning herself into a nurturing mother of the dead:

all the dead turn into children
they're helpless can't do squat
for them there's no thank god
dress them turn them cheer them
pick them up hold them tight
sing songs speak clearly say
that they all won't die one day

Tatiana Voltskaya shows how the war devalues the glorious memory of the previous war fought by Russians against real Nazis:

We'll get what we deserve, and more. Unholy war
Has tarnished grandad's medals.

Voltskaya's bitter, 'We'll get what we deserve' reverberates in Eugene Kluev's expression of guilt, shame, and a sense of culpability that any Russophone author experiences after their language became an instrument of torture and aggression:

Jump off the globe, move somewhere far remote!
In Europe now the price of April's crushing.

I've lost my right to have a voice, a vote:
I'm Russian.

Reading poem after poem, experiencing wave after wave, the reader begins to appreciate the depth of poetic vision of different aspects of the war, and to see it through the eyes of the extraordinary people who managed to stay true to their original poetic voices and fearlessly revealed the war's absurdity and inhumanity.

These 100 poems shake the readers out of the emotional vacuum that results from consuming the mass media reports on the war, allowing them to experience the war in a much more personal and immediate manner, and helping them live through this terrible turn of history.

Julia Nemirovskaya, Maria Bloshteyn, 2022

Михаил Айзенберг

Слово на ветер; не оживёт, пока
в долгом дыхании не прорастёт зерно.
Скажешь «зима» – и всё снегами занесено.
Скажешь «война» и – угадаешь наверняка.

      Не говори так, ты же не гробовщик.
Время лечит. Дальняя цель молчит.

Но слово за слово стягивается петля;
всё от него, от большого, видать, ума.
      Скоро заглянешь за угол – там зима.
Выдвинешь нижний ящик – а там земля.

2015

Mikhail Aizenberg

The word is lost; it will not come to life
until with one long breath the seed's uncurled.
Say 'winter' and the snow will cover the world.
Say 'war' and you'll be truer than any knife.

       Hush; not yours to make the dead their casket.
Time's a healer. Mute the distant target.

No. Word by word the noose pulls tight; all birthed –
each word – inside my oh so clever mind.
       You'll glance around, and winter's in the wind.
Pull out the bottom drawer – and you'll see earth.

2015

translated by Richard Coombes

Два Голоса

что у тебя с лицом?
нет на тебе лица,
выглядишь беглецом.

топкая здесь земля.
тонок ее настил.
долог ее отлив.
быть не хватает сил,
жабрами шевеля.

вот объявился тать,
командир этих мест.
что ни увидит, съест.
нечего ему дать.

всех коров извели.
зверя сдали на вес.
множатся стригали,
но никаких овец.

да, но еще вдали
множатся голоса
выброшенных с земли,
стертых с ее лица.

в камни обращены.
гонит воздушный ключ
запахи нищеты.
камень еще горюч.

2012

Two Voices

what's wrong with your face?
It doesn't look like a face.
you look like a runaway.

earth is muck in this place.
its hide hardly holds.
its tide hardly spills.
breath barely unfolds
by the labour of your gills.

here comes a big thief,
the big chief of these streets.
whatever he sees, he eats.
we got nothing to give.

we butchered the cows: no feed.
we sold the game for cheap.
sheep shearers breed and breed,
but there's no trace of sheep.

yet, voices breed far away,
yet, there is no dearth
of voices of castaways
scrubbed from the face of the earth.

voices are turned to stone.
the airstream steers the airborne
stench of squalor along.
turns out that stone can burn.

2012

время-то на износ.
времени-то в обрез.
что бы ни началось,
некогда ставить крест.

выбери шаг держать,
голову не клонить,
жаловаться не сметь.

выбери жизнь, не смерть.

жизнь, и еще не вся.
жаловаться нельзя

2012

turns out that time's worn thin,
turns out that time's cut short.
whatever else may begin
will be the worst resort.

resolve to keep in step,
to never ever fret,
to hold your head high.

resolve to live, not die.

life is yet to be spanned,
fretting be darned and banned.

2012

translated by Anna Krushelnitskaya

Ольга Андреева

Слушайся, детка, ложись-ка в кровать –
русские сказки идут убивать.
Выключи лампу, не спи, но молчи –
бомбардировщики воют в ночи,
завтра приедет Иван на печи.

Слышишь – несётся ковёр-самолёт,
молнию с громом на город нашлёт.
Щука в реке – обернусь, говорит
высокоточной ракетой Калибр.

А Василиса утешит ребят
в Курске, в Воронеже – но не тебя...
Вот они, братья, стоят у костра –
месяц Июль так похож на Февраль.
А Колобка загоняет спираль
страха в чужую неверную даль.

Змей-то, Горыныч, пока что живой –
с третьей, контрольной своей головой.
Шёлковы рыжие кудри огня.
Ты попроси его – чур, не меня.
Глазки закрой – не вползёт в твои сны
злое пророчество духов лесных.

Горькая правда ли, сладкая ложь –
так не бывает, ты не умрёшь,
выдернут репку – и пустишься в рост.
сквозь молодильные яблоки звёзд,
но перед тем упадёшь до поры
в руки рыдающей той медсестры.

Olga Andreeva

Beddy-bye, my child, lie still!
Russian tales come out to kill.
Turn off lights in your alcove –
Nighttime bombers prowl and rove,
Ivan rides his horseless stove.

Hear the Flying Carpet zoom,
Raining thunderbolts and doom.
See the magic changeling Pike
Launch herself into a strike.

Vasilisa will be Fair
Just to Russian kids out there.
Look, Twelve Brothers going by!
February's like July.
Kolobok got spooked and fled.
He's a poor wayfaring bread.

Zmei the Dragon has three heads
For breathing fire at children's beds.
See his flaming mane fly free.
Ask him nicely: please, not me.
Close your eyes and seal your dreams
From the evil wood-sprites' schemes.

Bitter truth or lovely lie –
Neither's real, so you won't die.
Pull the Turnip, grow up tall,
Watch the Golden Apples fall.
But before, you'll fall, of course,
To be caught by a sobbing nurse.

Как расточительна ночь и щедра,
выключи атавистический страх,
да, из копытца напиться нельзя,
лебеди-гуси по небу сквозят,
это Жар-птица с тобой говорит,
на Януковиче шапка горит,
кот-волкодав на железной цепи,
вечное море бессильно сопит
в волноотбойники синей волны,
где задыхается мир от войны.

Night has brought her riches here.
Lock away your primal fear.
Don't drink from the Enchanted Hoof.
The Swan Geese fly above your roof.
The Firebird talks to you in grief,
The Burning Hat betrays the thief,
The Learned Cat will yank his chain,
The old blue sea will sigh and wane,
Powerless against the shore
Where the world is sick with war.

translated by Anna Krushelnitskaya

Ася Анистратенко

Понадобилась целая война,
Чтоб двинулись фигуры умолчаний.
Теперь любой утюг, сапог и чайник
Мне говорят: а ты купи слона!
Нет, то есть, ты ходи, пиши, пляши...
Но всё-таки купи, купи слона.
Я не заметил, как прошла весна.
Я не уверен, точно ли я жив.
Слон в комнате. Он дышит в темноте,
Он плохо помещается меж стен,
Он бурно гадит, очень много ест.
Я не хочу слона. Но слон мой здесь.

Assia Anistratenko

It took a downright war for this development,
To shift what sort of things are meant by silence.
But now a random chair, a shoe, a saucer
Are whispering to me: adopt an elephant.
You go on jogging, rhyming, laughing if you like
The elephant will loom just out of sight.
I haven't noticed as the spring sailed by,
I am not sure if I'm still alive.
My elephant is breathing in the dark.
It's here, it's in this room. It barely fits,
It eats a lot, produces tons of crap.
I wish it would be gone. But here it is.

translated by Andrei Burago and the author

Полина Барскова

Город

'Представитель ДНР:
под «Азовсталью» есть подземный город, затрудняющий его штурм'
Известия, 15 апреля, 2022

по тому надземному переходу на Невском где тебя сбило машиной
сегодня спешат люди
добрые люди как сказано в детском романе
любящие своих близких боящиеся смерти
такие же как и я с трусцой гнильцой в тепловатом сердце
с желанием думать о себе получше поглаже
над пешеходным переходом зияет новая буква//
издает зловоние злосвечение как дохлая крыса гнилая брюква
кто/то добавил новую букву в мой алфавит ладный нежный
кто/то наклеил новую букву на мой ненаглядный город
как это получилось в каком/то смысле теперь неважно
что было здесь раньше в каком/то смысле теперь неважно
почему ты умер в каком/то смысле теперь неважно
важно понять что больше уже никогда не будет

понимание состоит из каждого нового утра
в пустоте в отвращении в одиночестве в жалком крике
на языке посреди которого сияет зияет новая буква:
как голова любимого раздавленная на щербленом асфальте

Polina Barskova

City

'DPR representative:
beneath Azovstal, there is an underground city,
which complicates our assault'
Izvestiya, 15 April 2022

on that street crossing on the Nevsky where you were hit by a car
people are hurrying now
kind people as they are called in a kids' novel
loving their families fearing death
people like me with a lukewarm heart touched by rot by terror
wishing to think themselves a little nicer better
above the street crossing gapes the new letter –
it exudes an evil stench a lurid glow like a dead rat rotten rutabaga
someone stuck a new letter into my alphabet so neat so mellow
someone slapped the new letter onto my beloved city
in a sense how it happened doesn't matter anymore
in a sense what had been here before doesn't matter anymore
in a sense why you died doesn't matter anymore
what matters is to comprehend what's gone forever

this comprehension involves every new morning
in desolation loathing loneliness in wretched screeching
on my tongue cankered in the middle with the new letter:
like my lover's crushed head on the pockmarked pavement

(а когда я впервые тебя увидела в пяти минутах ходьбы от этого
перехода
я так на тебя смотрела на эту голову прекрасную как светильник
что ты засмеявшись спросил: со мною что/то не так?
И я сказала: не знаю)
из/за этой живой картины я покинула ненаглядный город
но и с собой его забрала в себя его втравила,
как в каверну в зубе—капсулу с ядом,
в яркой толпе его мертвецов стала своею
(самозванка, шпионка, притворщица: примелькалась)—
и теперь этот яд совершает свою работу.

понимание состоит в том, что есть вещи похуже смерти:
город мой бедный стал город пышным: скука//
обывателям лижет руки как верная сука
все говорят о завтрашнем дне: будет ли белым черным горячим
холодным
покупают газеты новостям равнодушно кривятся вздыхают
ценам смотрят кроссворд прогноз погоды
какая в завтрашнем дне хотелось бы знать будет в городе нашем
погода?
в городе нашем погода будет такая:

падет и пал и падает
Вавилон, город великий, потому что он яростным вином блуда
своего напоил все народы, кто поклоняется зверю и образу его и
принимает начертание на чело свое, или на руку свою тот будет
пить вино ярости Божией, вино цельное, приготовленное в чаше
гнева Его, и будет мучим в огне и сере
пред святыми Ангелами и пред Агнцем.

(and when i first saw you in a five-minute walk from this crossing
the way i looked at you at this head beautiful as a luminous lamp
you laughed and asked: something wrong with me?
and i said i don't know)
because of this moving picture i left my beloved city
but i also took it with me etched into myself,
implanted like a cyanide capsule in a hollow tooth,
i wormed myself into the garish crowd of its dead people
(an impostor a spy a fraud: insinuated into familiarity)—
and now the poison is slowly doing its job.

the comprehension is that there are things worse than death:
this poor city of mine became a city of splendor: boredom
licks the locals' hands like a loyal bitch
the talk of the city is the tomorrow: will it be white black hot cold
buying newspapers grimacing indifferently at the news
sighing at the prices staring at the crossword puzzle at the weather
forecast
one should like to know what kind of weather befalls our city tomorrow
and this is the weather forecast for our city:

it shall fall it's fallen it's falling
Babylon, that great city, because she has made all nations drink of the
wine of the wrath of her fornication, if anyone worships the beast and
his image, and receives his mark on his forehead or on his hand, he
himself shall also drink of the wine of the wrath of God, poured out full
strength into the cup of His indignation. He shall be tormented with
fire and brimstone
before the holy angels and before the Lamb.

translated by Dmitri Manin

Лена Берсон

В темнейшие, темнеменьшие времена,
Все то, что ты можешь думать: война, война.
Все то, что ты можешь делать... да ни хрена.

На случай обстрела – полезней мешок с песком,
Чем тело мое с коснеющим языком,
Который уже не мелет ни на каком.

Родимая речь, все та же (не та, не та),
Роднит нас не больше пены у края рта,
Наличия пальцев, наличия живота.

Привычная, присосавшаяся как клещ,
Ты лучше бы стала невнятная немтыречь,
Чем биться в ушах: стреляй, убивай, калечь.

Шуршала бы ты не громче золы в костре,
Дождя по оконной бреши, дверной дыре,
Травы на сожженном во имя твое дворе.

Lena Berson

In the darkest times, neverthecursed before,
All you can think is this: war, war.
All you can do... not a damn thing anymore.

In case of airstrikes – there's more use in a sandbag,
Than in my body in which my tongue starts to sag,
Not a language left in which it could still wag.

Our mother tongue, still the same (not the same, no)
No more makes us kin than do spittle bubbles we blow,
Or the way our fingers grow and our bellies grow.

Same speech, stuck to us like a suckling tick –
I wish your mutterances were muffled and thick,
Unlike the knell in their ears: shoot, maim, murder, quick;

Be as hushed as the ash after a flash of flame,
As rain in the window hole, through the gaping door frame,
On the grass in the yard which was burned down in your
name.

translated by Anna Krushelnitskaya

Алла Боссарт

По небу полуночи ангел летел,
крылышками бяк-бяк,
золотокудр и пустотел,
не по делам, а так.

Летел навестить родные места,
откуда в жизни иной
он и еще человек полста
отправились за войной.

Война их манила, обожжена,
крыльями бах-ба-бах,
а где-то там молодая жена
осталася на бобах,

сидит и молча пряжу сучит,
детка агу-агу,
в окошко ее почтальон стучит,
валенки все в снегу.

Мокрый след высыхает в сенях,
из крана – все кап да кап,
на карточке – ихняя вся семья
и нараспашку шкап.

Долго жена молодая шла,
колокол бом да бом,
мужа искала, да не нашла
и воротилась в дом.

Alla Bossart

An angel was crossing the sky of midnight
His tiny wings went putt-putt.
Golden curled, swift and featherlight,
No business to think about.

He was coming to visit his native land
Which, in his life before,
He left, along with some fifty men,
And went to fight in a war.

The war captivated them, ba-da-boom,
Spreading its wings of fire.
High and dry, alone in her room,
His wife was staying behind.

She sits and knits, keeping silent when
Her baby goes goo-goo-oh.
A postman raps on the window pane
Standing knee-deep in snow.

Wet traces dry up on the floor, dry up.
Water drips from the tap, drip-drip.
In the pictures, they smile, hold hands, and hug.
Her bags are packed for the trip.

The young woman was travelling far and wide.
A bell was tolling, ding-dong.
She searched for her husband but could not find,
And finally came back home.

А на крылечке стоит сынок –
стрижен – под ноль, под ноль:
ты извини меня, мама, но
мне пора за войной.

По небу клоками летят облака,
ангелы, вам чего?
Летите отсюдова прочь, пока
спят бойцы ПВО.

Lo, on the doorstep she meets her son,
His hair's cut short, cut short.
Forgive me, mother, but just the same
I'm off to fight in a war.

Clots of clouds drift in the heavens.
Angels, begone! Shoo, shoo!
Or else our boys in the air defence
Are getting ready to shoot.

translated by Andrei Burago

Мария Ботева

еден таг – говорит немецко-русский словарь –
каждый день читай эти слова:
я
никого
не хочу
победить
я
ни с кем
не хочу
воевать
еден таг едес маль
каждый день каждый раз
открывая словарь
повторяй
не болит голова
от бескрайнего повторения
так и выучишь этот язык мира
я
ни с кем
не хочу воевать
я
никого
не хочу
победить
я
никогда
больше

Maria Boteva

jeden Tag – reads a page from the German book –
you have to repeat this, by hook or by crook:
I
won't plan
anyone's
defeat
I
want no war
ich will
keinen Krieg
jedes Mal jeden Tag
every day at all times
refer to this workbook
look
the repetition won't hurt
even though no end is in sight
this is how you learn peaceful words
I
don't want
to go to war
I
won't plan
anyone's
downfall
I
never
again

translated by Andrei Burago

Ксения Букша

сестра ему пишет в ватсап: открой же глаза
посмотри вот что пишет ваш начальник эф
эс бэ он же не может врать он же должностное
лицо, – и копипастит длинную цитату
он отвечает ей: погоди почему не может-то
а она ему кидает гифку из фильма волга-волга
и потом цитату из лукашенко
и ещё деву Марию и видео с детсадовцем в пилотке
читающим «жди меня и я вернусь», в то время как он
медленно набирает ответ: где ты была эти тридцать
лет? ты жила в Польше ты провела эти годы
у себя в Польше, в маленьком городке
а чего ты туда приехала (нет, у, у-ехала)? – да ведь, наверное,
тебе надоело жить в далёком степном посёлке
куда нас всех сослали при сталине (автонабор
подсказывает ʻстало’ и ʻсталелитейный’)
из западной Украины
и за эти тридцать лет ты, – набирает он,
но она уже бросает ему картинку
«советский рубль самая твёрдая валюта»
и гифку из фильма свинарка и пастух
и ещё потом всевозможных святых
католических и хаотические
мнения лепен симоньян д’артаньян
и трофейные свастики у мавзолея
и гифку с котиком штирлица лучащиеся яйца трупы

Ksenia Buksha

his sister writes him on whatsapp:
why don't you finally open your eyes
and look at what the head of your own fsb writes
he can't be lying, he's a state official after all, and she pastes a long
quote
and he answers her: wait a minute, why can't he be lying?
and she sends him a gif from the film volga-volga
and then a quote by lukashenko
and also the virgin mary and a video of a kindergartener in a
garrison cap
reciting the world war two favourite 'wait for me and I'll return,'
while he
slowly types out his answer: where have you been these past thirty
years? you were living in poland
you spent all those years living in poland, in a small town
and why did you come there (no, why did you go there)? probably
because you got sick of living in that distant village in the steppes
where we were all exiled by stalin (autocorrect
suggests 'stale' and 'stalking')
from western ukraine
and during those thirty years you – he types,
but she had already sent him a picture
'the soviet ruble is the strongest currency'
and a gif from the film the swineherd girl and the shepherd,
and then pictures of all kinds of catholic saints
and muddled opinions
by le pen simonyan d'artagnan
and trophy swastikas laid down at the mausoleum
and a gif of the kitten belonging to shtirlits and radiating eggs
corpses

луковицы куполов рыдающих женщин гифку
из фильма соломенная шляпка покуда он
заносит над клавиатурой палец
довольно-таки шероховатый от долгих лет
работы с разнообразными химикатами
он моргает ватсап блямкает блямкает он моргает
он вздыхает он ничего не пишет ей он
выключает телефон и идёт
заварить себе чаю

onion domes weeping women a gif
from that film straw hat while he raises his
finger over the keypad
a finger roughened from his long years
of work with different chemicals
he blinks whatsapp bleeps
bleeps again he blinks again
he sighs he doesn't write her anything he
turns off the phone and goes
to make himself a cup of tea

translated by Maria Bloshteyn

а вы из россии? – к сожалению да
почему к сожалению мы тут все любим россию
у нас была война и россия нас защитила
от врагов да вы просто не знаете что такое война
это ужасно война это хуже чем засуха
а вы говорите к сожалению да как вы можете
так говорить вы просто не знаете какой это ужас
я лет назад бежала сюда от войны понимаете
а вы говорите к сожалению россия ну как это так
скорей бы их всех поубивали вот я бы
сама своими руками их всех придушила
проклятых убийц: их надо убивать: потому что
убивать плохо: убивать таких надо кто убивает
её речь ускоряется как в обратной перемотке
наматывается на клубок изображение дёргается
трещины лица превращаются в плоскую рябь
грохочет в ушах прибоем воет в дальних обрывах: она
качает головой как заведенная
убивать убивать убивать

are you from russia
yes, unfortunately
why unfortunately we all love russia
here we had a war and russia defended us
from the enemy and you don't even know what war is
war is worse than a drought
and you say unfortunately how can you
say that you just don't know how awful war is
I came here x years ago running away from war you understand
and you say unfortunately russia how could that be
I hope they are all killed off soon I could just strangle
all of them with my bare hands
the damned murderers – they all need to be killed off – because
it is terrible to kill – you should kill all those who kill
her speech speeds up as if fed in reverse
it rolls up into a ball the image breaks up
the cracks of her face morph into shallow ripples
thunder in your ears like the tide howling among distant cliffs –
she keeps nodding her head as if mechanical
kill kill kill

translated by Maria Bloshteyn

Дмитрий Веденяпин

Надо постучаться – и отворят.
Снег, шурша, мелькает над полотном.
В вертикальном небе зарыт клад.
Демон знает о нем.
Человек стоит на краю перрона
Навытяжку перед судьбой.
Чтобы отнять золото у дракона,
Нужно вступить с ним в бой.
Снег лежит – как покров бессилья...
Главное – не побежать назад!
У дракона фиолетовые крылья,
Неподвижный мертвый взгляд.
Главное – крикнуть дракону: 'Нет!'
Крикнуть: 'Убирайся!' ночному бреду...
Просыпаясь, мальчик видел свет,
Чтобы взрослый смутно верил в победу.

1988

Dmitry Vedenyapin

It shall open to you but you have to knock.
Snow flickers and rustles above the tracks.
In the vertical sky, there's a prize to unlock.
Daemon sets up his traps.
A man stands still, as if at attention
At the edge of a platform, before his fate.
To get a share of the dragon's treasure
One has to join the fight.
The snow weighs down as a veil of weakness...
The main thing is not to run away!
The dragon flutters its purple wings, and
Fixes its ghastly gaze.
The key is to shout to the dragon 'No way!'
To order 'Get out!' to this nightmare...
Waking up, the boy saw the light of day;
In turn, the adult dreams that victory's near.

1988

translated by Andrei Burago

Там все разбито и разъято,
А здесь лисички и маслята.
Там катастрофа и кошмар,
А здесь задумчивый комар.
Им, впрочем, не оставлен выбор,
Но мы-то не вампир, не киборг.

There, everything is crushed and smashed, and
Here you and I are picking mushrooms.
There, a catastrophe and horrors,
And here mosquitos buzz in chorus.
To tell the truth, they can't control it,
But we are not vampires nor robots.

translated by Andrei Burago

Ольга Виноградова

пока война разворачивается как гроза
мы переливаем из руки в руку
холодную стыдную воду любви

говорим ей:
прорасти из прошлого
прочерти нам будущее
пока глаза выколоты у настоящего
пока наше сердце упало
на дно чужого колодца
и больше никак до него не добраться

мы переливаем из руки в руку
холодную стыдную воду любви

Olga Vinogradova

while the war unfolds like a thunderstorm
we keep pouring from hand to hand
the cold inglorious water of love

we say to it:
sprout from the past
sketch the lines of our future
while the present's eyes are poked out
while our heart has fallen
in a remote well, to its very bottom
and we have no way of reaching it

we keep pouring from hand to hand
the cold inglorious water of love

translated by Dmitri Manin

Татьяна Вольтская

Гробов не будет. Наших детей сожгут
В походной печке, а дым развеют
Над украинским полем, и чёрный жгут
Сольётся с дымом пожара – вон там, левее.

Вместо тела вежливый капитан,
Позвонив в квартиру, доставит пепел
В аккуратном пакете и молча положит там,
Под фотографией, где залихватский дембель

Перерос в контракт. Расстегнув портфель,
Вынет бумагу и, дёрнув шеей,
Будто что-то мешает, усядется, как на мель,
На табурет: подпишите неразглашенье.

Она подпишет. И он поспешит назад
Мимо телека с Басковым недопетым
И двухъярусной койкой, где младший брат,
Девятиклассник, с него не спускает взгляд,
Свесившись – будто ждет своего пакета.

Tatiana Voltskaya

There will be no coffins. Our children will burn to ashes
In a mobile oven, and the smoke will swirl and waft
Over the fields of Ukraine where the black plume meshes
With the smoke of wildfire – up there, on the left.

Instead of the body, the doorbell will ring, a polite
Army captain will bring the ashes in a neat package
And place it silently on the bookshelf, right
By the photo of a brave soldier with demob patches,

Turned a contractnik. The captain will open his briefcase,
With a jerk of his head, as if something bothered
Him, he'll fish out a paper, establish a base
On the stool, hold it out: sign here for non-disclosure.

She'll sign. He'll pick up his briefcase and hustle on
Past the TV with a crooning pop singer clown
And a bunk bed where on top the younger son,
A ninth-grade student leans over and stares down
At him as intensely as if waiting for a box of his own.

translated by Dmitri Manin

Огребём по полной. Неправедная война
Обесценила дедовы ордена.
Я держу их в горсти
И говорю – прости
Деду Ивану, врачу
В блокадном военном госпитале. Хочу
Услышать – что он сказал бы
На ракетные залпы
Наши – по Киеву. Опускаю голову и молчу.
Слышу, дедушка, голос твой –
Мы зачем умирали-то под Москвой –
Чтобы русский потом – вдовой
Украинку оставил?
Каин, Каин, где брат твой Авель?

We'll get what we deserve, and more. Unholy war
Has tarnished grandad's medals.
I hold them in my hand
And say, I'm sorry.
Grandad Ivan was a doctor
In blockaded Leningrad,
At a military hospital. I wonder
What he would say to our rocket thunder
On Kyiv. I lower my head, stay
Mute. I hear your voice, Grandad. You say:
We died around Moscow – why?
For a Russian man to come, by and by,
And widow a Ukrainian mother?
Cain, Cain, where is Abel your brother?

translated by Richard Coombes

И приходит вошь.
Ты морщишься, но беды не ждёшь.
Она раздувается долго, покуда вождь
Не проступит из-под белесых ресниц.
Чесаться поздно – приказано падать ниц
И отдавать ей всё, чем ты раньше жил –
Парк, метро, крыши, карандаши
В школьном пенале, сына, дочь,
Под шипение: отдавай и убирайся прочь.
Ты лежишь и думаешь: как же так,
Почему я, разиня, трепло, мудак,
Не прибил ее, покуда была мала?
Всё хотел тепла,
Всё сидел на даче, в офисе, в гараже,
В баре с тихой музыкой, не замечая – она уже
Заслонила полнеба, выпила будущую весну.
Раздуваясь, вошь затевает войну.
Ты же знать её не хотел –
А она сквозь горы кровавых тел
Глядит на тебя. Пока ты плевался – тьфу –
Она покусала всех, сгорает страна в тифу.
И вот теперь
           вошь лишает тебя всего –
Дома, сна, весеннего города, выворачивает естество
Наизнанку, заставляет бежать, куда
Глаза глядят, ослепнув от ярости и стыда,
И в висках грохочет, то мучительней, то слабей:
Вошь не должна жить – найди её и убей!

Enter a louse.
You wince, but what could happen, at any rate?
It puffs up for a while, then through its white eyelashes
Emerges a Great Leader.
And now it's too late
To scratch your head. You will be forced to prostrate,
To give up the life you were leading –
This park, the rooftops, cafes, your pencils and brushes,
Even your kids.
Hand it over and get out of here, it hisses and spits.
You lie prone, wondering: why
Was I such a fool, a dimwit, a twat
And didn't swat it when it was little?
You spent time in a cozy bar,
In your office, your country house,
You were keeping warm,
And you didn't notice how it got this far
How the louse
Blotted out half of the sky,
Sucked the coming spring dry.
As the louse gets bigger, it starts a war.
You never bowed to it, you had no fear —
Now it watches you over corpses and gore.
While you cringed, it was biting people; therefore
The whole country's sick with typhoid fever.
And thus,
        the louse deprives you of everything –
Your home, your dreams, your city in spring,
It turns it all inside out.
You run for the hills, blind with rage and guilt
As it clangs and raps in your head, painfully loud:
That louse, don't let it live – seek it out and kill it.

translated by Andrei Burago

Анна Гальберштадт

Такая история

Обычное необычное историческое время
корабль кренится
или вовсе идет ко дну.
Такое уже было.
В доме много прадеда в Вильно
в Первую Мировую стояли немецкие офицеры.
На старой фотографии
присланной одноклассницей
на пятиэтажном здании на Кальварийской
вывеска – Офицерский клуб *Halberstadt.*
По словам бабушки,
которой я не знала,
немецкие офицеры тогда
вели себя очень цивилизованно.
Брат деда, инженер, жил в Германии
и был женат на немке.
Они нередко гостили у литовских родственников.
А потом немецкие офицеры
и некоторые местные жители
перестали себя вести цивилизованно.
И в 41ом бабушку, ее мать, и старшего сына
убили в Каунасе.
Во время Второй Мировой войны
которую отец провел на фронте
ему повезло.
Он был ранен дважды
но выжил.
Когда в шестьдесят семь у него
стало останавливаться сердце
и он лежал в ожидании операции

Anna Halberstadt

Again

A typically atypical historical moment —
the ship is keeling over
or even sinking outright.
It all happened before.
During World War I,
German officers were billeted
at my grandfather's place in Wilno.
An old photograph sent
by a former classmate shows a sign
posted on that five-story house
on Kalvariju street – The Halberstadt Officers' Club.
According to my grandmother,
whom I've never known,
the German officers behaved
in a very civilized manner
back in those days.
Grandfather's brother, an engineer,
lived in Germany
and married a German woman.
They would frequently visit their relatives in Lithuania.
And then German officers and some locals
stopped behaving in a civilized manner.
In 1941, my grandmother, her mother, and her eldest son
were all killed in Kaunas.
My father spent World War II
fighting on the frontlines.
He was lucky – twice wounded, he survived.
When his heart failed
he was sixty-seven
awaiting surgery

в госпитале Астория Дженерал
с пульсом в двадцать ударов в минуту
что не очень совместимо с жизнью
а машина с пейсмейкером застряла
в снежном буране
отец сказал мне: «Мои родители оба
погибли в пятьдесят семь. Чем же я лучше?»
Вот и сейчас, когда, казалось
бы, пандемия и стала тем испытанием
которое выпало на нашу долю
оказалось, что нам придется увидеть
кадры такой разрухи в Европе
остатки которой мне пришлось увидеть в детстве.
В старом городе Вильнюса
где я выросла
еще десятилетиями после войны
стояли развалины домов
стены без окон.
Одна из обрушилась через мгновения
после того, как мы с папой
зашли в книжный магазин напротив
на узкой улочке
и свет померк в середине дня.
И вот снова – беженцы бегут из Украины,
едут, идут пешком
кричат, закрывают голову и детей руками,
молят бога, проклинают тех,
кто это придумал.
Тех, кто, казалось, вел себя цивилизованно.
А потом перестал.

at the Astoria General Hospital,
with a pulse rate of twenty beats per minute,
which is not very compatible with life,
and when the car carrying the pacemaker
got stranded in a snowstorm,
my father told me: 'Both my parents
perished when they were fifty-seven.
How am I better than them?'
And now too, when it seemed that
the pandemic was the one trial
our generation was fated to undergo,
it turned out that we were also meant
to witness scenes of a massive destruction in Europe,
such as the one whose remnants
I had seen in my childhood.
In Vilnius's medieval Old Town
where I grew up,
there were still bombed-out buildings,
walls without windows,
for decades after the war.
One of them collapsed only
moments after father and I
walked into a bookstore across
from it on a narrow street –
and saw day turn to darkness.
And now it's happening again.
Refugees from Ukraine are on the run,
they drive, they walk,
they scream, shielding their own heads
and their children,
they plead with God and they curse those
who came up with it all.
Those, who, it seems,
had once behaved in a civilized manner.
And then stopped.

translated by Maria Bloshteyn

Владимир Гандельсман

Симфония (в пяти приказах с проигрышами)

приказ 1

подчеркну:
всех евреев и не евреев,
сброшенных в овраг,
чтоб не воскресли,
ибо останки, мне гундит чутьё,
могут соединиться в подземном
заговоре, найти друг друга
и восстать, даже если восстать
только в моём видении или сне
(ведь на дне каждого сна –
спящий Бог, –
я храню его сон тем, что сплю
не глубоко, держась
от него подальше,
я стою на страже Его
вздрагивающего покоя),
подчеркну:
все останки евреев и не евреев
приказываю взорвать,
чтоб убить их повторно,
и когда пыль невидимая
заметёт следы,
ведущие в человеческие видения,
Бог почиет навеки.

Vladimir Gandelsman

A Symphony in Five Orders with Interludes

order 1

let me emphasize:
all Jews and non-Jews
thrown into the ravine
to prevent their resurrection –
my sixth-sense tells me
that otherwise their remains
just might arise unite
underground and arise
if only in my fantasy or dream
(for at the base of each dream
lies God slumbering –
I guard his sleep
by sleeping lightly
I guard his restless rest
at a distance),
let me emphasize:
I order all remains of Jews and non-Jews
to be detonated,
so that they're re-killed
and when the ghostly dust
covers up the trails
into humanity's visions
God will slip into eternal sleep.

(Бог почиет навеки
морщливые веки
прикрывши ох-да прикрывши
рот приоткрывши
ляжет Бог под геранью
люизитом отравлен
ранней ранью
на дотление себе оставлен
на поле брани
целое станет рознью
ранней ранью
или поздней позднью)

приказ 2

ранней ранью
или поздней позднью
подчеркну:
всякий живёт дольше кого-то.
я заметил: я не этот кто-то,
я – всякий.
я заметил:
чуть кто исчезнет –
у меня вздох облегчения.
я нахожу
скорбную усладу
в чтении некрологов
и списков убитых.
подчеркну:
приказываю
вести о пропавших без вести
не доводить до моего сведения,
не установив отчётливое
небытие пропавших,
а также
всеми наземными,

(God will slip into eternal sleep
and his wrinklen eyelids keep
closed heigh-ho closed
gaping mouth exposed
by geraniums bright
poisoned by lewisite,
in the mornliest morn
left alone to putrefy
in the battle zone
the whole will divide
in the mornliest morn
or the nightliest night.)

order 2

in the mornliest morn
or the nightliest night
let me emphasize:
everyone outlives someone.
I've noticed:
I'm not that someone,
I'm everyone.
I've noticed:
when someone disappears
I breathe a sigh of relief.
I find a mournful pleasure
reading obituaries
and casualty lists.
let me emphasize:
I order that I am to be briefed
on any news about the MIAs
only upon establishing
the distinct nonexistence
of those missing,
and after engaging
all ground

морскими
и воздушными средствами
обеспечить впрок
вздохами облегчения
меня как всякого,
кто живёт дольше кого-то
и торжествует
в подспудной
явности.

(в подспудной явности
в кирзовых сапогах
о обезглавленность
последнее хахах
о побледнения
о жизнь-коленодрожь
и крик «не надо, нет, не я!»
и сальная с приплясом ложь
в кирзовых розовых
от крови выцветшей
а то в свежебагряных ых
в поддых взашей)

приказ 3

в поддых взашей.
подчеркну: всем –
от обозримых просторов
до Марианского жёлоба,
взору неподвластного,
включительно –
приказываю:
нести людям добро
кто в чём может.
подчеркну:
приказываю установить

naval
and airborne means
to supply me abundantly
with sighs of relief
since I am that everyone
who outlives someone
and triumphs
in his fundamental
realness.

(fundamental realness
combat boots on
oh the beheadedness
that last laugh-groan
grow paler by degrees
knee-trembling life
and the shout of 'don't, not me!'
and that leering prancing lie
in boots turned rust
from old faded blood
or a fresh red crust oust
oust 'em blast their guts)

order 3

oust 'em blast their guts.
take note:
I order everyone inclusively–
from all the visible vastness
up to the Mariana Trench,
impenetrable to the eye,
to do people good
however you can.
take note:
I order a table set up

для переговоров
стол
с ответвлениями,
доступными для всех стран мира
непосредственно на ощупь.
мы, люди доброй воли,
сядем в торцах,
чтобы достичь паритета.
сколько можно терпеть
всё это?
пусть русский корабль
обретёт свою гавань.

(гавань гавань табань
Петь сначала ты Петь
а потом ты Вань
грудь повыпяти идя на Припять
припадём землекопы к груди
неродной земли
Петь сначала ты впереди
а потом Вань ты ай-люли
холм тебе насыплю ты пли
а потом ты мне Петь
холм насыпли
будем мёртвые песни петь)

приказ 4

будем мёртвые песни петь.
прошу отнестись с пониманием –
враг у врат, гораздый
гнёзда вить для ястр ебиных,
враг у врат
враг у врат
повторяйте заклятье,

for negotiations
with its outbranchings
accessible directly by feel
to all the countries of the world.
we, being people of good will,
will sit at its head
in order to reach parity.
For how long can we stand
it all?
let the Russian ship
find its harbour.

(harbour harbour up oars
now Petya you first Petya
then Vanya hup two four
chests out head for Pripyat,
pitmen pile on the chest
of this alien landway
hey Petya you first go fast
Vanya your turn make hay
I'll raise your mound, fire on cue
after that Petya you're on
raise one for me too
we'll sing dead songs)

order 4

we'll sing dead songs.
please show some understanding –
the enemy at the gates is an ace
at weaving nests for hawkish fucklets.
the enemy is at the gates
the enemy is at the gates
repeat the spell

Schwestern und Brüder.
слыша, что наш упёрдый
нимврод глаголет,
внук Хама,
и телегенты высоколобные,
прошу отнестись с пониманием
к приказу:
преподать урок
уркам-пособникам,
всех окружить,
пусть покосит мор
миллион-другой
ради мыра в целом.
мыру мыр.
сжечь рожальни.
превратить уркаину в руину –
так на нашем вымени,
Schwestern und Brüder, начертано,
так нас учит Дристос Возбздевший
руки к небу,
бог Болот наших Влагопахлых
в Гниилом Храмсе.

(в Гниилом Храмсе
тебе мой бог
в любви отдамся
мой Hände Hoch
Возбздевший руки
тебе молюсь
и в ноги суке
тебе валюсь
ты мне сородный
пока не сдох
спаси нимврод мой
мой Хэндэ Хох)

Schwestern und Brüder.
having heard what our boneheaded
numbrod sayeth
Ham's grandson,
I ask you, highfaluting intel lackshells,
to apply some understanding
to this order:
we must teach a lesson
to those ukraiminal-collaborators,
surround them all,
let the plague fell
a million or two
for the sake of the whirled
as a whole.
puce to the whirled.
burn down the maternity wards.
turn ukraiminalia into ukruines –
for that's what is inscribed on our udder,
Schwestern und Brüder,
so teacheth us Feculensus Chrisofarteth
his arms raised upward,
lord of our Dampstenchy Swamps
in the Roytten Sanctuaree.

(at the Roytten Sanctuaree
I'll give my lord
the whole of me
my Hände Hoch
with arms upraised
you I beseech
I'm at your feet
you dirty bitch
you are my kin
until I croak
save me my numbrod
my Handy Khokh)

приказ 5

мой Хэндэ Хох.
скажу сразу, это крайне важно:
он и ваш бог.
руки вверх все, кто za.
а теперь обеими za руками
распишитесь кровью
в том, что za.
скажу сразу, это крайне важно:
приказываю:
учредить
премию Бункера
и
вручать посмертно
каждому, кто обмакнёт
умственное перо
в последнюю каплю своей крови
и напишет Z.
это zначит мы русские.
Зиг хайль!

(Зиг хайль!
Я один стою пред Единым.
Ущипну себя – я ль?
Остаюсь не едимым.
Алтай-Болтай, я сижу,
Алтай-Болтай, я ужу
на червя, тебя съевшего.
А какого ты лешего
жил? Оглох?
В ад ли сгинул ты? В рай ль?
Хэнде Хох!
Зиг хайль!)

order 5

my Handy Khokh.
I'll say it outright, it's crucial:
he is your god too.
handz up all thoze who azzent
now zign in your blood
with both azzenting handz
that you azzent.
I'll say it outright, it's crucial:
I order:
you to establish
ze Bunker Prize
and
to award it posthumouzly
to zem who dip
zer mental pen
into ze last drop of zer own blood
and write a Z.
it meanz zat we're Russian
Zeeg hayil!

(Zeeg hayil!
I stand alone before the One.
Pinch me – looks like I'll
be in one piece when we're done.
Humpteenth-Dumpnews, here I wait,
Humpteenth-Dumpnews, here's my bait,
it's a worm that ate you whole.
But why the fuck you've lived at all?
Speak – don't gawk!
Where you've gone to? Heaven, hell?
Handy hokh!
Zeeg hayil!)

translated by Maria Bloshteyn

Андрей Гришаев

Буква зверь шагнула в лес
И вокруг переполох
День чудесный вдруг исчез
Из холмов выходит вздох

В небе господа глаза
Из холмов выходит газ
Колосится поле зла
Солнце падает на нас

Из холмов выходит шар
Освещая старый мир
В трещинке сидит комар
Красной крови командир

Глаз б не видеть этих их
Острых и ненужных глаз
Солнце падает на них
Солнце падает на нас

Andrey Grishaev

Z the beast came to the woods
The lovely day went all awry
Mayhem suddenly ensued
From the hills emerged a sigh

In the sky are the eyes of god
Gas comes from the hills at once
Fields are growing evil pods
And the sun falls down on us

Lighting up the whole old world
From the hills appears a bud
Down the crack a gnat has crawled
The commander of red blood

Those keen eyes are bothersome
Must we see them looking thus?
While the sun falls down on them
While the sun falls down on us

translated by Dmitri Manin

Ёжик мой, о как ты затопочешь
Гневными пяточками к двери
Когда меня, твоего похитителя и кормильца
Уводят под руки уже увели

Как ты распадешься на не хочу и думать
В опечатанной квартире сгинув, один
На игольчатую неровную шубку
Сам себе приёмыш и господин

Когда новые владельцы в собачьих шубах
Въедут и собака их зарычит
На твою смиренную вечную шубку
Огонь в квартирах следователей возгорит

Он будет гореть невидимо всё сжигая
Их книги законов их лица их сытый вой
Они будут жить в огне твоего колючего гнева
В огне моей памяти о тебе брат мой

My little pet hedgehog, oh how will you be stomping
Your wee angry heels, running towards the door
When I, your kidnapper and your provider
Will be lead away in handcuffs, you'll see me no more

How will you decay, I don't even want to imagine
Having perished in the apartment that's sealed and barred
Leaving behind your craggy coat of needles
Being your own charge and your own ward

When the new owners move in, wearing dog fur coats
And when their dog sniffs with a muffled growl
Your humble indestructible coat
The investigators' apartments will, at the same hour

Go up in invisible flames, incinerating it all
Their books of law, their faces, their satisfied snorts
They will have to live in the flames of your pointed anger
In my memory's blazes they will, o my brother, be burned

translated by Andrei Burago

Вадим Гройсман

Замысел остался непонятен.
Как ни пялю старые глаза,
Всё равно не сложится из пятен
Ни гора, ни поле, ни лоза.

Человеком, сделанным из точек,
Дожил до шестидесяти лет,
Только мусор из часов песочных
Высыпался времени вослед.

Но теперь сам Бог меня возвысил,
Сотворил последнее со мной.
Я сегодня – пощажённый пиксель
На стекле, раздавленном войной.

Vadim Groisman

The overall design remains obscure.
However much I strain my ageing sight,
The spots and specks will not resolve for sure
To field, or row of vines, or mountain height.

I reached the age of sixty, me, a mass
of simple dots moulded to human shape,
Unwanted dribble from an hourglass
Spilling into time's departing wake.

But now the Lord himself has taken thought
To raise me up far higher than before.
I am today a pixel, safely caught
And granted life on glass shattered by war.

translated by Richard Coombes

Михаил Гронас

сегодня война
переговоры завтра
но мы-то знаем
что переговоры и есть
поражение

сегодня вода
спасательные суда завтра
но мы-то знаем
что спасением
захлебнёмся
сегодня война
люби меня
сегодня вода
люби меня
сегодня
сегодня война
люби меня
сегодня вода
люби меня
сегодня

2002

Mikhail Gronas

today is war
negotiations come tomorrow
but we know
talks are the definition
of defeat

today is water
rescue ships come tomorrow
but we know
it is our rescue
that will drown us
today is war
love me
today is water
love me
today
today is war
love me
today is water
love me
today

2002

translated by Dmitri Manin

если оно и поле –
то с какими-то дырами, прорвами
идёшь идёшь, а уже и тонешь
тонешь тонешь,
а уже идёшь под водой
дышишь через тростинку
дышишь дышишь
выбираешься
почти ничего не помнишь

2002

even if it's a field,
it's full of crevasses, abysses
you've just been walking, and then you're sinking
you've just been sinking,
and then you're walking underwater
breathing through a reed
breathing breathing
when you get out
you barely remember anything

2002

translated by Dmitri Manin

Юлий Гуголев

Вроде стиранное... Непонятно...
И неважно, – платок, носок...
Но откуда бурые пятна?
Вероятно, фруктовый сок...

Я ж замачивал всё в холодной.
Вероятно, не та вода.
Порошок, должно быть, негодный.
Маркировка ткани не та.

Эти пятна глядят, как очи.
Не пятно уже, а клеймо.
Пролежало в воде полночи,
думал, утром сойдёт само.

Не сошло, как ни тёр, не слезло,
и ползет по моей руке.
И солёный привкус железа
в небе, в воздухе, на языке.

Yulii Gugolev

I washed it, I think... It's weird...
A shirt, a sock – what the deuce,
What are these muddy smears?
Juice, I guess... just fruit juice...

But I did a cold water soak.
Something's wrong with the water, maybe.
Or perhaps, ineffective soap.
Or the fabric badly mislabeled.

These stains are staring like eyes.
They're like brand marks, raw and burning.
I let them soak for the night,
thought they'd be gone by morning.

But with all the scrubbing and scouring
it stayed, spread to my skin, everywhere.
And the salty taste of iron
in the sky, on my lips, in the air.

translated by Dmitri Manin

Ольга Гуляева

Я прекрасно понимаю, что давно не фам фаталь,
Что давно уже в команде, отыгравшей первый тайм.
Точка, точка, запятая, огуречик, два крыла –
Я вот этой фам фаталью никогда и не была.
Дух святой в дома крадётся по небесному лучу.
Я сижу в своей Сибири, макадамию лущу;
Или это наноробот, или это лысый хрен.
Прорубай окно в Европу через сервер ВПН,
Прорубай окно в Европу – антилопой станешь гну.
Стих, наверное, херовый, если он не про войну.

За окном летают души не по небу нихрена.
За окном поют 'Катюшу'. Я рыдаю у окна

Olga Gulyaeva

I'm aware that time has passed for me to be a femme fatale.
Past my prime, I'm past the primetime, and in fact I've passed the ball.
My stick figure's made of sticks, two dots, a comma, and two wings –
I was never really known for any femme-fataley things.
The Holy Spirit rides the sunrays, making houses cheerier.
I'm cracking macadamia at home in my Siberia.
This could be a nanorobot, or a balding dick, again.
There's your Europe, cut your window, use your trusty VPN.
There's your Europe, cut your window – ante-loping, anti-door.
This may be a shitty rhyme since it is not about the war.

Outside, souls are flying, whooshing, not through heaven, but
    through hail.
Outside, someone sings 'Katyusha.' Inside, I just sit and wail.

translated by Anna Krushelnitskaya

Иван Давыдов

Никуда

1

Можно начать молиться, а можно начать колоться.
Все одно – стоишь, а после падаешь ниц.
«Здравствуйте, дорогие колосья!» –
Колосьям говорит жнец.

А они живые, то есть ржаные,
В добре не смыслят и в зле.
Клонят шеи смешные
К черной своей земле.

И я тоже хрупок, и буду краток –
Время режет нас на ремни,
И не хватит материи для заплаток,
И жнецу не скажешь: «Повремени».

2

Сон оступился, и я один посреди
Ночи, сделанной из черного льда.
Страшно в небо смотреться – там звезды в черной истоме.
Если только можешь, Господи, проследи,
Чтобы миновала беда
Тех, кто слушает нынче стоны
Века, двинувшего в никуда.
Если только Ты можешь, Господи.
Если только.

Ivan Davydov

To Nowhere

1

You may start praying, or you may start using.
Works the same: you stand up, and then down you lie.
'Morning, dear stalks, I see you've risen!'
The reaper says to the rye.

And they are alive, just being rye.
Good or evil – they can't tell the worth.
They bend their necks, them silly small fry,
Down toward their black earth.

And I'm also brittle, and I won't prattle –
Time is our brutal ripper,
And to patch us up, there's not enough matter,
And you can't say 'Wait!' to the reaper.

2

The dream has tripped, and I'm alone amidst
The night made of black ice,
Too scared to stare into the sky – the stars loll in blackness up
    there.
If you only can, God, forfend against
Calamity prevailing,
To save all who now listen to the wailing
Of the century marching to nowhere.
If only you can, God.
If only.

3

Важно помнить, что власти ада
Считают работу ангелов экстремистской,
Зато тепло, на обед баланда
(Не особо изысканно, да и ладно),
У пищеблока Вергилий с коцаной миской.

3

One must keep in mind that the government of hell
Calls the work of angels an extremist act;
Still, it's warm down there; enough gruel for every cell
(Not too sophisticated, but oh well).
Virgil's in the canteen; his old bowl is cracked.

translated by Anna Krushelnitskaya

История одной улыбки

Облака бока о ржавые скалы трут,
А за ними солнце будто подбитый глаз.
Тут физический труд превратил человека в труп.
А ему-то что? – он встал и пустился в пляс.

Он ногами выделывает кренделя,
Не других, себя веселя.
Больше нет тоски,
Облака – в куски,
Как просроченные векселя.

Потому что больше не надо ни пить, ни есть.
Потому что по всем долгам получен расчет.
Потому что свобода здесь – это смерть и есть.
Потому что другая свобода здесь не растет.

Только эти скалы, эта ржавая стража.
Он оскалил зубы – улыбка ему к лицу,
Потому что тем, кого нет, не бывает страшно.
Не бывает страшно ни богу, ни мертвецу.

History of a Smile

Clouds rub sides with the sides of rusty cliffs.
Above the clouds, the sun shines like a shiner.
Labour played its part in the transition from man to stiff,
Then, the stiff got up to dance, like he'd never felt finer.

His legs are doing the pretzel twist,
Not for show; he just feels blissed.
All sorrows have fled.
All clouds are shred,
Like a notice of payments missed.

For he won't ever have to procure any drinks and meals.
For all his debts are discharged, he is free to go.
For freedom means death here, and that's really all it means.
For this is a place where no other freedoms will grow.

There are only these cliffs, only this rusty stockade.
He bares his teeth –his fetching smile really works,
For he who doesn't exist is never afraid.
God is never afraid, neither is a corpse.

translated by Anna Krushelnitskaya

Надя Делаланд

все мертвые становятся детьми
беспомощными ничего не могут
самостоятельно им все не слава богу
одень переверни печаль уйми
их на руки возьмешь и напролет
всю ночь прижав к груди по дому носишь
поешь им песни внятно произносишь
никто из них однажды не умрет
сажаешь их под домом и в окно
все время смотришь не взошли ли листья
ли листья не взошли но можно литься
дождем и лица вытянув и нос
достанешь ночью косточку зерно
светящееся семечко из почвы
запьешь его дождем и станешь молча
вынашивать внутри себя всю ночь
потом родишь и снова двадцать пять
часов подряд то пеленай то нянькай
корми грудным дыханием и в майке
иди копать

Nadya Delaland

all the dead turn into children
they're helpless can't do squat
for them there's no thank god
dress them turn them cheer them
pick them up hold them tight
sing songs speak clearly say
that they all won't die one day
carry them around all night
plant them by the house then
keep checking if they'll sprout
if no sprouts are out then spout
as rain does tapering faces noses
at night you'll pluck the pit grain
glowing seed out of the soil
chase it down with rain then toil
all night brood silently gestate
till you deliver then it's all fatigue
change diapers soothe nonstop
nurse on your breath slip on a top
go out and dig

translated by Maria Bloshteyn

Нет никакого утешенья
Нет никакого воскрешенья
И вот все мертвые мертвы
Лежат холодные убиты
Нет в самом деле да иди ты
Иду иду уже на вы
Все мертвые лежат и плачут
И даже писающий мальчик
Не сможет смерть остановить
Смерть не закончится вовеки
И все живые человеки
Теперь в крови

There won't be any consolation
There won't be a resurrection
Now all the dead are dead
Lying there killed cold done
Is that so get lost go on
What if I come instead
All the dead lie there weeping
Even the little boy peeing
Can't stop death in its tracks
Death won't ever be beaten
Now all the live human beings
Are drenched in blood

translated by Maria Bloshteyn

вой на улицах пыль и прах
страх на лицах и улицах
мама страхна арахна вьет
сети смерти и горе пьет
чашу скорби в мой смертный час
(боже сколько же можно чаш)
не пролей донеси до губ
я могу я еще могу
не могу но бомбят дома
я хотела бы выйти на
остановке вагоновож
атыйбатый едрена вошь
мы проехали дальше вы
вы выходите в эти рвы
и траншеи пипец абзац
deus vult краснодеус бац
бдыжь захлебываясь в крови
о – о господи – станови
кто-то должен меня разнять
убивающую меня
отмотайте чуть-чуть назад
этот бред котара и ад
дети мертвые тихо спят
тихо дети в руинах спят
как не спятить когда все спят
ну так спять

wailing outside dust and ashes
fear on the streets and on the faces
mom horrachne arachne weaves
death webs and sorrow swigs
a cup of grief in my mortal hour
(god no end to these cups of ours)
don't spill it carry it to my lips
I can do this I still can do this
I can't buildings are bombed
I'd like to get off the street
car at this stop conduc
torfactor freacken schit
we missed the stop you
you get out into these pits
and trenches this is it damn
deus vult miney moe wham
spurts choking on blood
oh god oh end this
break this up someone
stop me from killing me
rewind go back a bit
live corpse syndrome hell
dead children quietly sleep
in the rubble children quietly sleep
how could you not flip
when everyone's asleep
so flip

translated by Maria Bloshteyn

Александр Дельфинов

Фейки

– Слышали, что в ресторане творили у нас повара-то?
Из человечины, гады, нарезали стейк!
– Вы это видели сами?
– Не видел, да мне и не надо,
Люди ведь наши не врут!
– Ну, а вдруг это фейк?

Фейковый Иисус предлагает фейковое спасение,
Фейковый Сатана готовит фейковое мучение,
Фейковый королевский флот ловит фейковых Фрэнсисов
Дрейков,
Нас тупила эпоха фейков.

Мама с улыбкой сказала: «Просыпайся, малыш!»
А вдруг это фейк?
Террористы стали правительством или правительство –
террористами.
А вдруг это фейк?
По крыше, спасаясь от кошки, топочет лапками мышь.
А вдруг это фейк?
А всем так хотелось быть добрыми, всем так хотелось быть
чистыми.
А вдруг это фейк?

– Говорят, в Подмосковье на дачу к весёлому, бодрому
Блоку
Прибегала зимой чемпионка по лыжам Сольвейг!
– Это где вы узнали?
– Прильнул к новостному потоку,
Там по разным каналам одно.

Alexander Delfinov

Fake News

'Got news for you: one chef – now, this one's disgusting indeed:
He butchered a man to fry and serve him as steak!'
'Were you a witness, yourself?'
'No, and I don't see the need.
Our people won't lie!'
'But what if this news is fake?'

A fake Jesus offers a fake salvation;
A fake Satan casts you to a fake tarnation;
A fake Royal Navy is on the hunt for a fake Francis Drake.
This is the dumbing of the Age of the Fake.

A mother says with a smile,
'Baby mine, wakey-wakey!'
But what if it's fake?
Terrorists became government, governments became terrorist.
But what if it's fake?
A mouse runs away from the cat on the roof, pitter-pat,
shakey-shakey.
But what if it's fake?
We all hoped to be the kindest, we all hoped to be the purest.
But what if it's fake?

'They say that once, to the dacha of the happy and hale poet
Blok,
A lady came skiing cross-country, and her name was Solveig!'
'How did you find out?'
'They got breaking news 'round the clock!
All channels say the same thing.'

– Ну, а вдруг это фейк?

Фейковая звезда рок-н-ролла исполняет фейковый хит
«А вдруг это фейк?»
Фейковая постправда, фейковые альтернативные факты,
Вся жизнь – это фейк!
Фейковая зараза вызывает фейковый трахеит
Или бронхит, в общем, фейк.
Фейковая война или фейковый мир, разобраться не можешь
никак ты,
А вдруг это фейковый фейк?

Верить-то сейчас никому нельзя.
Конечно, наши всё врут, но я вам правду скажу:
Вообще ВСЕ врут!
А вот США же бомбили Югославию? Бомбили!
А про Ирак разве не наврали, что там оружие массового
поражения? Наврали!
И вообще, зачем ООН на восток расширяется?
Что? Не ООН? Да какая разница, это всё масоны.

– В общем, смотри: в нашу форму оделись-то американцы,
В наши танки уселись и сняли видос в один тейк!
– Вы им свечку держали?
– Да нет, но ведь эти засранцы
По-другому не могут!
– Так, так. Ну, а вдруг это фейк?

Прилетала утром маленькая фейка,
Принесла кусочек сладенького фейка.
Ну-ка, не мяукай, мерзкий котофейка,
Не получишь больше от меня ни фейка.
Был успех на рубль, да судьба – копейка,
Всё твоё богатство – четвертинка фейка.
Флейточка-жалейка, плачь, да не шалей-ка,
Смертушка-соседушка, одолжи нам фейка!

Yes, but what if it's fake?'

A fake rock star performs a fake hit
Called 'What if it's fake?'
A fake post-truth; fake alternative facts;
Your whole life is fake!
A fake contagion causes fake cough, fake snot, fake spit,
Or fake flu; just in general, fake.
A fake war, or a fake peace, left very confusing tracks.
What if it's a fake fake?

Can't believe anyone, these days.
Of course, our news lies to us, but I'll tell you the real truth:
EVERYBODY lies!
The US dropped bombs on Yugoslavia, right? They dropped those
bombs!
And didn't they lie about Iraq's weapons of mass destruction? They
dropped those lies!
And do tell me, why does the UN push its boundary eastward?
What? Not the UN? Same difference; they're all freemasons.

'Look, here's what happened: some Yankees put on our tank
helmets,
Climbed inside our tanks and shot this vid in one take!'
'You don't know! You weren't there!'
'Right, but I know those shitheads. That's their usual MO.'
'Sure. But what if it's fake?'

A little fairy fluttered by before I was awake.
She brought a piece of fakey pie and a slice of fakey cake.
Shut your piehole, kitty-cat; don't mewl, for pity's sake.
It's not for you I'm opening this lovely can of fake.
You were born with a silver spoon for your bad luck to take.
Yours is not a silver dollar but a quarter fake.
Oh, my achy breaky heart, achy-achy-break!
Death, my friend, I've come to borrow a half-a-cup of fake.

Но если высунуться из информационного пузыря,
Словно из люка сгорающей бронемашины,
Увидишь, как от взрывов ворочается земля –
Или это те, кто пока ещё живы?
Если отложить смартфон и выйти, знаешь куда?
Туда,
Где сгоревшего троллейбуса остов,
Увидишь очередь за хлебом.
– Вы здесь последний?
– Да.
Как тебе такой сказочный остров?
Если кофе отодвинуть и недожевать чизкейк,
Увидишь, как от ПВО в небе выстрелов змейка,
И тебе, глядь, покажется, что сам*а ты – фейк,
И только смерть – противоположность фейка.
Фейка.
Ейка.
Йка.
Ка.
А.

But if you peek out of your personal info bubble,
Like out of a hatch of a tank that's burning,
You'll see the ground heave, blasted into rubble –
Or is it the still-living, the wounded, stirring?
If you put away your smartphone and step out,
Out and up
To the torched guts of the city bus torn asunder,
You'll see people line up for bread.
'Is this the end of the line?'
'Yup.'
How do you like this Isle of Wonder?
If you push away your latte and spit out your cheesecake,
You'll see an air defense missile slink through the sky like a snake,
And then you might think that you, yourself, are truly fake,
And only death alone is the antithesis of the fake.
Fake-uh.
Ache-uh.
Eek-uh.
Kuh.
Uh.

translated by Anna Krushelnitskaya

Ольга Дернова

Старательная синичка, всего одна,
тонкой беличьей кистью рисует весну.
Выйдешь на кухню в четыре утра; она
щебечет: рискну, рискну.
И лес шумит, за ладони тебя берёт,
на тебе засучивает рукава.
Свет, как олень, выпрыгивает вперёд
на полкорпуса, корпус, потом на два.
Над чем ты трудилась ночью под звуки птичьих вестей,
не помнишь, думаешь: видно, сошла с ума.
Ладони твои грязны, и из-под ногтей
не вычищается траурная кайма.

Olga Dernova

All it takes is a song of one little diligent thrush.
You enter your kitchen at 4 am and there it is,
painting the lines of spring with a delicate sable brush,
tweeting: I'll take the risk.
The leaves rustle, reaching out and holding your hand,
urging you to roll up your sleeves.
Daylight, like a deer, rushes ahead,
casting further and further down its rapid beams.
You forget the night's toil, perhaps you're cranking up,
tuning in all the time to a current of distant tweets.
Your hands are soiled, and the mourning stripe
stays under your fingernails, and you cannot get rid of it.

translated by Andrei Burago

Олег Дозморов

Наевшемуся поутру
снится сон моему коту:
он шериф в штате Мышиган,
у него звезда есть и gun.

Как щедр кошачий бог!
Велик кошачий господь!
На пажитях злачных, ох,
'Роял Конина' – горсть, не щепоть.

На стезях не убоюсь зла,
в коридоре темном пройду,
Он со мной – такие дела,
миску полной всегда найду.

Рай – это о том, что сон
все, что было, проснувшись, знать.
Господь – щит мой, и я спасен,
буду руки его лизать.

Благость, милость в жизни моей,
и проснуться я не готов.
Пока люди стреляют в людей,
я буду писать про котов.

Oleg Dozmorov

At daybreak my overfed cat
Is dreaming vividly that
He's a sheriff in Mice-a-gun state
With a star, a gun and a hat.

How generous is Cat's God!
How great is the Lord of Cats!
On the pastures of my True Lord
Royal Canine is richly spread.

In my ways I will fear no evil,
In the hall, when the light is dim,
He is always with me, and I will
Find my bowl filled up to the brim.

It's a paradise when you wake
Up and know: it all was a dream.
My Lord is my shield, I'm saved,
I will lick his hands, lick them clean.

Grace and virtue run through my days,
Waking up is not part of the plan.
When people put people to death
For cats I reserve my pen.

translated by Andrei Burago

Владимир Друк

а вот как будем мы умирать
умирать
и куда нас девать
повезли бы за околицу хоронить
повезли
ляжем тихо и будем медленно жить
будем в небо тайком глядеть
в небо глядеть
а там будут птички петь
птички петь облака лететь
будем как звездочки в высоте
звездочки в высоте ...
а вот как будем мы
будем мы
будем мы умирать
будем медленно умирать
звездочки собирать
будем медленно умирать
и куда это все это все это все девать?

Vladimir Druk

as we all begin to die one by one
dead and gone
what will have to be done
would they bury us at the edge of town
put us down
we will lead our slow lives when we lie down
we will steal stealthy looks at the sky
look at the sky
up where birdies will sing
birds will sing clouds will fly
we will all be twinkly stars up high
twinkly stars up high...
as we all go one by one
going gone
as we all go dead and gone
as we all lead slow deaths one by one
twinkly stars piling on
as we lead slow deaths one by one
with all this all this all this what will have to be done?

translated by Anna Krushelnitskaya

Валерий Дымшиц

Песни юго-западных славян

от днестра до буга
веди подруга
от буга до днестра
неси сестра
ночь быстра
жизнь пестра
веди меня подруга
неси меня сестра

бурный сбруч
гремучий смотрич
где ты спрячь
меж круч

ломир зинген
а нае лид
кто убит
что болит
а нае лид
сама не поет
другим не велит

стих рассыпан на слова
слова на буквы
из бурака из брюквы
прорастает трава
в дырочки о и а

Valery Dymshitz

Songs of the Southwest Slavs

from dniester to bug
give me a hug
from bug to dniester
carry me sister
night is a twister
life is a trickster
give me a hug
carry me sister

the boisterous zbruch
the rumbling smotrych
hide me wedge me
between your ridges

lomir singen
a naye lid
who is killed
where it bleeds
a naye lid
she doesn't sing
and wouldn't let us

poems crumble into words
words into letters
from beets from lettuce
grass grows
through the holes of a's and o's

на горах нагорье
по долам подолье
луга по логам
леса полосой
поля пополам
проречём по речкам
по морям помрем

кто не жив
тот умер
кто не лжив
тот лузер
кто не снами
тот явью
кто не с нами
тот с ними

рот кричит
душа молчит
сердце кровоточит
капля камень точит

букв буковина
рун руина
воли волынь
доля подолья
длани долин

нельзя сказать
я убит
только
он убит
она убита
кто убит
тот молчит

highlands on the hills
lowlands in the vale
mellow meadows
far-flung forests
fields flipped
scream down the stream
decease on high seas

who's not alive
is a goner
who doesn't lie
is a loser
who withers
doesn't bloom
who's not with us
is with them

the mouth is crying
the soul is quiet
the bleeding heart groans
dripping water hollows out stone

bookish bukovina
ruined runes
valiant volhynia
doleful podolia
violins of valleys

no-one can say
I was killed
only
he was killed
she was killed
who's been killed
stays still

translated by Dmitri Manin

Ирина Евса

Не проси у власти, не верь родне:
сват продаст и шурин,
потому что в честной твоей стране
каждый пятый – шулер.

Кто из них твои отберет гроши,
наплевать обиде.
Будь, как бомж: сухарь воробьям кроши,
на скамейке сидя.

Стерегись вещать на чужой волне,
пранкер или хайпер,
потому что в доброй твоей стране
каждый третий – снайпер.

Он по крыше катится паучком
сквозь жару июля,
чтоб совпала с беглым твоим зрачком
в поцелуе пуля.

И пока скребешь пустоту чела,
пьешь вино, болтая,
над тобою носится, как пчела,
пуля золотая.

Затаись плевком, пузырьком на дне,
следом на газоне,
потому что в тихой твоей стране
каждый первый – в зоне,

где в затылках – чипы, 'жучки' – в кашпо,
смертоносна сводка
и с билбордов машут тебе капо,
улыбаясь кротко.

Irina Evsa

Don't beg of the king, don't believe your kin,
they'll squeal in a whiff,
that's the way your fair land has always been:
every fifth man a thief.

Which one will rob you, what kind of scum –
what the hell do you care?
Live like a bum, feed the sparrows bread crumbs
on the bench in the square.

Be careful broadcasting someone else's words,
be it a prankster or hypester,
because in this kindly country of yours
every third man's a sniper.

Like a little spider he skirts the roof flirting
with the heat of July,
so the bullet would meet in a kiss the furtive
pupil of your eye.

And while you drink wine, scratch the void of your brow,
babble merrily,
a golden bullet is darting around
like a busy bee.

Lie low like grass, like spit on the floor,
like a stain on the rag,
because in this peaceful country of yours
everyone's in the gulag,

wiretaps in lapels, microchips in the napes,
the headlines are deadly,
and the kapo on a roadside billboard waves
to you, smiling gently.

translated by Dmitri Manin

Вадим Жук

Ты, живущий в высокой башне
Сделанной из бивней белого слона,
Не отличающий сегодняшний и вчерашний,
Знай – ты воюющая сторона.

Ты, скупающий банки и крупы,
Чтоб завтра семья не была голодна.
На тебя безглазые смотрят трупы.
Ты – воюющая сторона.

Ты умолкнувший, ты молчащий,
Ты, шепчущий «Не моя вина».
И на тебя найдутся волчищи в чаще,
Ибо ты – воюющая сторона.

Ты со своим ненасытным стаканом,
Всё посылающий на и на.
Тебя разбудят твои тараканы:
Ты тоже воюющая сторона.

Ты – со своими строками горячими,
У тебя открыты и грудь и спина.
Ты здешний. Не вне и не над. И значит,
Ты воюющая сторона.

Vadim Zhuk

You, residing in an ivory tower
Head in the clouds, nursing your pride,
You, who can't tell yesterday from tomorrow,
Know this: you're a warring side.

You, binge-buying sugar and matches
To take the lean year in stride –
Eyeless corpses are staring at you.
You are a warring side.

You, who fell silent, who mutters,
'Not my fault,' 'I can't turn the tide,'
Wolves will get you through closed shutters,
For you are a warring side.

You may give zero fucks with your bottomless
Blasted bottle, but you can't hide.
Your own demons won't let you rest:
You're also a warring side.

You whose poems subtly glow,
You're wide open and in for a ride.
You're from here. Not beyond or above. And so,
You are a warring side.

translated by Dmitri Manin

Кристина Зейтунян-Белоус

я на все был готов
лишь бы убить врага
забыл о чести и жалости
лишь бы убить врага
отправил сына на бойню
лишь бы убить врага
свой народ оболванил
лишь бы убить врага
сто городов разрушил
лишь бы убить врага
лил океаны крови
лишь бы убить врага
умирая понял
что враг – это я

Christine Zeytounian-Beloüs

i was ready for anything
just to kill the enemy
i renounced honour and mercy
just to kill the enemy
i sent my son to the slaughterhouse
just to kill the enemy
turned my people into dummies
just to kill the enemy
leveled a hundred cities
just to kill the enemy
spilled a sea of blood
just to kill the enemy
as i lay dying i realized
the enemy was me

translated by Dmitri Manin

Гали-Дана Зингер

Время последней честности

Ложь уже не пытается
прикинуться правдой
она даже не пробует
выглядеть правдоподобной
или хотя бы умеренно
вероятной
я – ложь
говорит она
она говорит громко
оглушительно громко
так что кроме нее
ничего не слышно
я – ваша ложь
кроме меня
у вас ничего нету
и никогда
ничего
не будет
а теперь выбирайте
я предлагаю вам выбор
если хотите
вы можете
звать меня правдой.

Gali-Dana Singer

The Time of the Last Honesty

Lie doesn't try anymore
to masquerade as truth
it doesn't even try
to look reasonably plausible
or at least remotely
possible
I'm a lie
it says
it speaks out loud
its voice is deafening
so nothing but itself
can be heard
I'm your lie
you have nothing
but me
and you'll never
have anything
but me
and now you can choose
I offer you a choice
if you want
you are allowed
to call me truth.

translated by Dmitri Manin

Законы мирного времени

запрещено говорить «война»
запрещено говорить «вой»
запрещено говорить «на»
запрещено говорить
запрещено выть
запрещено быть
война запрещена
и мір

Peacetime Regulations

it is forbidden to say war
it is forbidden to wail sore
it is forbidden to sail soar
it is forbidden to plead
it is forbidden to bleed
it is forbidden to be
war is forbidden
and peace

translated by Dmitri Manin

Ольга Зондберг

Аннексии

обжечь язык словом
которое означает
одновременно
чашку кофе
и лужу крови

подавиться словом
которое означает
одновременно
люблю тебя
и сдохни мразь

блевануть словом
которое означает
одновременно
твоё живое дитя
и чьё-то убитое

врач говорит потерпите
ваш речевой аппарат
пока не умеет
слегка не готов
но пусть привыкает

Olga Zondberg

Annexations

burning the tongue with a word
that simultaneously
signifies
a cup of coffee
and a puddle of blood

choking on a word
that simultaneously
signifies
I love you
and snuff it, scumbag

throwing up on a word
that simultaneously
signifies
your child still living
and someone else's murdered

the doctor says be patient
your speech organs
can't manage it yet
they're not quite ready
but give them a chance to get used to it

translated by Richard Coombes

Или не быть

к первому акту
народ лежит
с ядом в ушах
мертвей не бывает
тень его молчит
прибита камнями
по всей сцене

венок Офелии
падает в небо
легко любить
больше жизни
когда та жизнь
уносится вниз
кровавой рекой

Or Not to Be

by the first act
people are lying
with ears full of poison
as dead as can be
his shadow is silent
flattened by stones
across the whole stage

Ophelia's wreath
falls to the sky
it's easy to love
more than life itself
when that very life
is hurtling away
in a river of blood

translated by Richard Coombes

Натишь

обрывки разговоров
до чего ветхие
к делу не пришьёшь

что-то о пассивности
какого-то народа
и как выросли цены

и что дома больше нет
но удалось уехать
живы слава богу

недоступному
под завалом вздохов
Облегчения

A Kind of Calm

scraps of conversation
timeworn to tatters
adding up to nothing

someone or other
is totally apathetic
and prices have gone up

and the house no longer exists
but they managed to get away
alive, thanks be to God

unreachable
under the landslide of sighs
of relief

translated by Richard Coombes

Игорь Иртеньев

Россия родина моя...

Россия родина моя,
Притом, что я еврей,
В ней рек различных дохуя,
Лесов, полей, морей,

Коров, гусей и лебедей
Несметные стада,
Но больше в ней всего людей,
И в этом вся беда.

Igor Irteniev

Mother Russia

Russia is my motherland, –
Although I'm just a Jew, –
With rivers by the shitload,
And woods and mountains, too,

With cows and chickens wall to wall,
And swans from sea to sea –
But it has people most of all,
And that's the tragedy.

translated by Anna Krushelnitskaya

Галина Ицкович

Кризисная терапия

руки домиком
говорю я им
сложите руки домиком
потом поговорим
закройте глаза руками
порадуйтесь темноте
вы в безопасности
спрятаны
как в детской игре
нет
вскрикивает валя
всюду тела тела
вот в темном нижнем углу
вдалеке
на краю села
мария кричит от ужаса
руки пока на глазах
сколько же надо
мужества
чтоб говорить про страх

страх их вывел из смерти
страх это лучше чем смерть
классная у них чуйка
а ведь могли не успеть
но те кто не вышел из дыма
в машине взорвался
нарвался на автомат
за баб моих бедных цепляются

Galina Itskovich

Crisis Therapy

steeple hands
I tell them
just like that
make your hands into a steeple
then we'll chat
hands over your eyes now
it's dark but that's okay
you're safe
you're hidden
like in that game kids play
NO
screams valya
bodies lie outstretched
right in that dark corner
far off
by our village's edge
maria screams in terror
but her hands still cover her face
it takes
plenty of courage
to talk about your fears

fear is what led them out of death
fear is far better than death
it might have been too late for them
if not for their keen sixth sense
but all those who didn't make it
who got blown up in their cars
who were cut-down by machine-guns
cling to them from afar

спать не велят
пить не велят
в любой темноте стоят
вот такая групповая трагедия
валя юля марийка люба
они у меня не последние
через час придет еще группа

поступил социальный заказ
напишите умное руководство
как выживать сейчас
из херсона
или скадовска
не помню даже
из места где нынче
хренова туча садистов
саранча на посадках наших
РУКОВОДСТВО:
как выживать под орками?
прятаться за пригорками
слишком плоская степь говорите
прятаться в доме
в лифте
в глубине плиты
в газовом огоньке
в вазоне на подоконнике
в подполе
в завитке подстаканника
не обращайте на себя внимания
проходя под стеною здания
глядя в себя по-улиточьи
складываясь в молитвенник
что ж это
мамонько
дітоньки
я ж в мешковатом синеньком

forbid them to sleep
forbid them to drink
and close in whenever it's dark
you might call it a group tragedy
valya yulia mariyka lyuba
they're not my last ones today
another group comes in an hour

an urgent request arrived
to compose a manual
with instructions on how to survive
it came from kherson
or skadovsk
I don't recall which one
but a place overrun
by a hell-load of sadists
a swarm swooping down
so here our work: a MANUAL
on how to survive these orcs
hide behind the hillocks
but the steppe is too flat you say
then hide at home
in the elevator
in the oven
in the gas light
in the plant on the windowsill
in the subflooring
in the curve of the tea glass holder
don't attract attention at all
as you walk by a wall
shrink into yourself like a snail
fold up like a book of prayers
I'll be quick, with the boy in tow
just to the store and back
covered neck to toe dark-clad
walking beside a wall just like they said

Господи
стыдно как
ой не дивися синочку
что ж ти не дивишься Господи

города стылые простыни

каждое слово удар под дых
руководство
вдали маяком
я отдала б за любую из них
жгут живота моего.

Mother of God
what are you doing
let me go
the shame
look away my son
why aren't you looking God

the town's bedsheets are cold

every word gets you right in the gut
the manual is endlessly far
a lighthouse across a flood
I'd give up for any one of them
my own heart's blood.

translated by Maria Bloshteyn

Война – это поезд

С четверга по субботу каждое утро
Объявляла маме о том, что вошла война.
Она каждый раз удивлялась:
Война – это старое детское,
А для взрослых войны не бывает.
Это не российская пропаганда, просто старческая деменция,
Благословенное забвение страшного и несоразмерного.

К воскресенью достало. Она начала искать свою маму,
Плакать от ужаса,
Слепо шарить, молить:
Только что лежала рядом на пыльном промерзшем ратине
(Отрез потащили с собою),
Дышала, грела, и вот исчезла.
Папа на фронте, состав их давно ушёл.
'Вспомнила, война – это поезд,' – скулит моя мама.
Скудеет память, но жив эйдетический страх:
'Мама, меня забыли?!
Это холодное –мама?!
Где я? Фашисты вверху? Внизу?
Может, я их вдохнула
И теперь ношу их в себе?'

После успокоительного
Она сворачивается седым зародышем
И лежит долго, долго,
Пока не забудут о ней фашисты, пока она не забудет
О маминой смерти,
Пока не станет незаметнее зернышка,
Семечка, соринки на простыне.
Вот из какого я рода,
Вот что за страх во мне тянет шею.

War is a Train

Every morning, starting with Thursday,
I'd tell my mom that war has broken out.
Each time, she'd be surprised –
war belonged back in her childhood,
there was no such thing as war for adults.
This wasn't Russian propaganda, it was merely dementia –
a blessed forgetting of anything too big
and too frightening.

It sank in by Sunday. She began to search for her own mother,
to cry with terror,
to plead and fumble about in a blind panic.
Wasn't mama lying beside her just now,
on that dusty, frozen-through bolt of ratine fabric
they took along,
breathing on her, trying to warm her,
and then she disappeared.
Papa is at the front and their own train pulled away long ago.
'I remember now, war is a train!' my mom wails.
Memory fails, but eidetic fear lives on:
'Mama, has everyone forgotten me?!
Could this cold thing be mama?!
Where am I? Are the fascists above? Are they below?
Maybe I've inhaled them and they're now inside of me?'

After a sedative
She curls up into a grey-haired embryo
and lies still for a long, long time,
until the fascists forget about her, until she forgets
about her mama's death,
until she becomes less noticeable than a grain,
a seed, a mote on a bedsheet.
So that's my so-called background,
that's the fear that wells up within me.

Мама, прошу, не расти,
Не продолжай эту сагу в понедельник,
Не бойся вторника,
Остановись на своем сорок первом,
Чтобы мне никогда не родиться,
Не повстречать твой же ужас,
Ожидание будущей смертной тоски
На лицах детишек, вывезенных вчера из Бучи.

Please, don't grow up, mom,
don't continue this saga into Monday,
don't live in fear of Tuesday,
stop and stay in that '41 of yours,
so that I'll never have to be born
to encounter your own terror,
that persistent mortal dread
on the faces of the kids just brought out of Bucha.

translated by Maria Bloshteyn

Александр Кабанов

Мир продолжает меняться: скумбрии против сардин,
ночью – минус двенадцать, утром же – плюс один,
минус двенадцать апостолов в карты на интерес,
по лбу стучали и по столу, но только один – воскрес.

Вишня цвести раздумала: чем ей цвести и по ком,
сочи, одесса, юрмала – всюду сплошной дурдом,
кашляет, врёт, извиняется бывший главврач зимы,
это не мир – меняется, это свихнулись – мы.

Нам не прочесть верительных грамот в своих гробах,
в бутиках для смирительных трусиков и рубах,
счастье стреляет пробкою, чтобы попасть с трудом –
в юность с чудесной попкою, в старость с беззубым ртом.

Падает снег, взрывается – листья насквозь летят:
в эту войну – влюбляются и эту войну – хотят,
произойдёт вендетта из-за тебя, сестра –
между бойцами света, между людьми добра.

Сдохнут во тьме враги и прочие сорняки,
это умрут другие дети и старики,
спросит в ноль-ноль двенадцать мальчик одной страны:
чем мне теперь заняться, как же я – без войны?

Alexandr Kabanov

The world is forever a-changing; sardines and mackerels fight;
it's one above in the morning vs twelve below at night;
it's twelve apostles below playing cards, not for money or prize;
they smacked the table and their brows, but only just one did rise.

The cherry chose not to bloom: no blooms, and no-one to charm;
jūrmala, sochi, odesa each a room at the funny farm;
the former head-doctor of winter chose to hem, to haw and to fuss;
it's not the world that's a-changing, it's we who are bonkers – us.

We won't read the letters of credence in caskets in which we'll stay,
or in the boutiques which sell straightjackets and also straight-
  lingerie;
happiness pops and shoots the cork, which barely hits, as it comes,
the young with their sweet little bottoms, the old with their
  toothless gums.

Snow is falling down, blasting; swift rounds of leaves are fired;
this war is lusted after, this war is dearly desired;
they are about to fight for you now, sister, there will be a feud
between the soldiers of light and the forces of good.

All foes and sundry varmints will die in the dark and the cold;
by those we mean other people's kids and other people's old;
at twelve past zero sharp, one country's boy will implore:
what do I do with myself now? How do I live without war?

translated by Anna Krushelnitskaya

Перед самым началом утра, когда проступают швы,
едва подсохшие ранки, битое в кровь стекло,
возраст спящих людей, снега, листвы, травы:
не плачь, мой милый – непобедимо зло.

В час, когда трижды некому прокричать –
съеден петух на ужин, семейное серебро –
было украдено, вышел майн кампф в печать,
не плачь, мой милый – непобедимо добро.

Мертвые птицы, обняв свои гнезда, падают вниз,
тонут в море дельфины, это последний шанс –
дан во спасенье, но бог запретил ленд-лиз,
наше с тобой бессмертие – это баланс, баланс.

Голод, разруха, смерть, страх, первородный грех –
непобедимы все, нет на них топора,
и только любовь – сосёт, хавает грязь – за всех,
но только она – спасет, и только она – твой смех,
а вот теперь, мой милый, плакать пора, пора.

Just before daybreak, when darkness starts to reveal
the age of foliage, snow, grass, sleeping people,
glass shattered bloody, wounds beginning to heal –
don't cry, my dear, it's impossible to defeat evil.

At the hour when no one's left to crow three times,
for the rooster's been roasted and ended his days as food,
silverware stolen, Mein Kampf published and advertized,
don't cry, my dear, it's impossible to defeat good.

Dead birds hugging their nests are falling from trees,
dolphins are drowning, it's the last chance before doom,
given to save us, but god disallowed lend-lease –
our immortality, yours and mine, is an equilibrium.

Hunger, death, devastation, fear, the original sin –
there is no axe to hack them, they won't die,
and only love chomps up slime and filth, sucks it in,
but only love is your smile, only love will win,
and now, my dear, is the time to cry, to cry.

translated by Dmitri Manin

Ксения Казанцева

Накажи нас, Господи, накажи,
Заведи нас ночью за гаражи,
Пригрози нам ножичком, придуши,
Все равно ни духа в нас, ни души.

Все равно ни гордости, ни любви,
Наши храмы строятся на крови,
Наши дети строятся невпопад,
На обед сжирает их психопат.

Не жалей нас, Господи, не жалей,
Не оставь ни долларов, ни рублей,
Выбей зубы нам, обоссы,
Смертоносным ядом натри трусы.

Яблоневым садом нас помани,
Обещай нам милость и обмани,
Обними, объятиями задуши,
Все равно ни духа в нас, ни души.

Ksenia Kazantseva

Punish us, merciful Lord, punish us,
Lead us into dark alleys and make us eat dust,
Show us the shiv, plug our pieholes,
All the same, we have no spirit, no soul.

All the same, we have no honour, no love,
Our temples have all been built on blood,
Our children are led in a zigzag pack
To the psycho who gobbles them for a snack.

Don't spare us, Lord, hit us with bad luck,
Take away our last ruble, euro and buck,
Piss on us, beat us up, knock out our teeth,
Smear deadly poison on our bras and briefs.

Lure us into your blooming gardens,
Promise us pardon and then abandon us,
Hug us tight and snuff out once and for all,
All the same, we have no spirit, no soul.

translated by Dmitri Manin

Посвящается женщинам, изнасилованным в Украине

Тело твое – дверь,
Тело мое – зверь,
Дело твое – тлен,
Тело мое – плен.

Тело мое – Бог,
Тело твое – страх,
Тело мое – ток,
Тело твое – прах.

Тело мое – страсть,
Тело твое – боль.
Тело мое – власть,
Тело твое – ноль.

Тело твое – бред,
Тело мое – брак,
Дело твое – свет,
Дело мое – мрак.

For the women raped in Ukraine

Your body – door
My body – devil
Your business – decay
My body – dungeon

My body – dictator
Your body – dismay
My body – discharge
Your body – debris

My body – desire
Your body – distress
My body – domination
Your body – deadwood

Your body – delirium
My body – defect
Your business – daybreak
My business – darkness

translated by Richard Coombes

Ксения Кириллова

И снова не дали поспать с утра...
Родная, что же ты плачешь?
Это же просто такая игра –
Что с неба падает мячик.

И вновь недолет, и опять не в нас –
Видишь вот, мы везучие.
А это не дым и совсем не газ,
Лишь небо покрыто тучами.

Давай мы сыграем в прятки теперь –
Вон видишь, там ямка вырыта.
Я просто закрою за нами дверь,
А ты молись, чтобы выиграть...

Kseniya Kirillova

Once again we're not given the chance to sleep through...
Sweetheart, there's no need to cry.
It's just a sort of a game, where you
Send a ball tumbling down from the sky.

And again it fell short, and once more not on us –
The thing is, you see, we're endowed
With luck. That's not smoke and it's certainly not gas
Just the sky in a blanket of cloud.

Let's make our own game. Let's play hide and seek –
Oh look, someone's dug us a hole.
I'll pull the door shut as we go, and we'll sneak
Across. And you pray to prevail...

translated by Richard Coombes

Евгений Клюев

Да хоть о чём... о цвете гладиолуса,
о том, как хорошо сейчас на море, –
я больше не имею права голоса
и даже права быть при разговоре.

Какое там – кричать или настаивать,
отстаивать величие былого! –
Сесть взаперти и медленно истаивать,
чтобы истаять, не сказав ни слова.

Спросить – спроси, если вопрос имеется,
а так – не спрашивай: ответов мало.
Война молотит крыльями, как мельница,
дробя наотмашь камни и металлы.

Забыть, уехать за пределы глобуса!
Апрель в Европе продают с нагрузкой.
Я больше не имею права голоса:
я русский.

Eugene Kluev

No matter what about: an ice cream float,
the weather on the beach today, carnations –
I've lost my right to have a voice, a vote,
or even mingle in the conversation.

Forget it. Don't insist, don't try to sway,
invoke past glory, argue, undeterred.
Just lock the door and quietly fade away
into thin air, just fade without a word.

We're short on answers, the supply has dwindled,
but you may ask a question, if you must.
The wings of war swing like a crazy windmill
and blindly grind metal and rock to dust.

Jump off the globe, move somewhere far remote!
In Europe now the price of April's crushing.
I've lost my right to have a voice, a vote:
I'm Russian.

translated by Dmitri Manin

Злон

Опечален небосклон и висит клоками,
по земле гуляет Злон с острыми клыками.
Он огромен – честный крест, честный полумесяц!
Он тебя сначала съест, а потом повесит.
Бойся страшного Злона:
говорят, он сатана.

Говорят, от одного имени злодея
замирает естество, сразу холодея:
шёпотом произнеси – через полминуты
все твои иже-еси словно ветром сдуты!
Разлетелись словеса –
и топочут Злонеса.

Не мечись и не кричи, спрячь обрез и плётку –
настриги каракульчи да сожги щепотку,
а окажешься промеж двух клыков – не мешкай:
помолись и пепел съешь, павши наземь решкой,
а затем взлети орлом
и ударь Злона крылом.

Он сначала заревёт или просто рыкнет,
а потом, наоборот, даже и не пикнет:
не живут Орёл и Злон, тут уж либо – либо.
Сдохнет Злон, а небосклон скажет: вот спасибо!
И послышится зане
аллилуйя в вышине.

Вот и всё, а наперёд – головы не вешай,
помнит весь честной народ, конный или пеший,
что таков, а не инов ходит слух в народе:
нет таких больших злонов, чтоб не побороти!
Стой прóтив любого пса
за свои за небеса.

2002

The Evilant

Glumly glows the firmament; by the thread it hangs.
Freely roams the Evilant with his knifelike fangs.
He's so mammoth, holy cross! Crescent, too, I swear!
He will kill and eat you first, then strangle you right there.
Beware, beware the Evilant:
They say he is the Devilant.

Rumour has it, if you hear the ill name of the villain,
Then, your heart will seize in fear, for the sound is chilling.
You won't have the time to think, with your breath so bated;
Your Hail Marys, in a blink, go poof – evaporated!
Your helpless prayer will fly through air
To stomping of the Evildare.

Stop your screaming, find some peace, hide your whip and rifle.
Catch a lamb and shear the fleece, then pluck and burn a trifle.
Once he has you on the fang, pray, then eat the ash.
Hit the pavement with a bang. Come down heads; don't crash.
Spread your wings and tails like sails
And hit the beast until he wails.

First, the Evilant will wail, or, maybe, thunder brutely.
Then, he'll go the other way and take to sitting mutely.
The Eagle's tails, the Evilant is heads; it is so fated.
The villain croaks – the firmament says: much appreciated!
Turn your gaze to heaven whence
A hallelujah will commence.

That's the tale; the moral goes, don't hang your head in anguish.
Every-every-body knows, of every tribe and language,
And will tell you, up and straight, the truth so oft-repeated:
There's no evilant so great that cannot be defeated!
To keep your heaven peaceful,
Stand up to all that's beastful.

2002

translated by Anna Krushelnitskaya

Уже говорят мне: не надо таких стихов,
пожалуйста, больше не надо таких стихов,
в них страшно, в них больно, в них мрачно, их строй таков,
что больше не надо, не надо таких стихов!
Уже говорят мне: нам хочется облаков,
пожалуйста, больше не надо таких стихов,
нам хочется бабочек, хочется мотыльков,
нам хочется милых маленьких пустяков.
Нам хочется света, достаточно с нас грехов,
нам хочется быть подальше от всех верхов,
пожалуйста, больше не надо таких стихов,
нам просто не хочется больше таких стихов.
А я всё строчу их без устали, как шальной,
строчу и строчу их наперегонки с войной:
где залп у неё – у меня там рефрен двойной,
где взрыв у неё – у меня там хиазм стальной.
И я всё строчу их без устали, как шальной –
бросаясь за ручкой к столу по сто раз на дню,
строчу и строчу их наперегонки с войной,
и я обгоню её, я её обгоню!

Already they tell me: stop writing poems like that,
we need no more, please, no more poems like that,
they're scary, they're painful, they're gloomy, in this format
we need no more, really no more poems like that!
Already they tell me: we want a softer palette,
we need no more, please, no more poems like that,
we'd rather have clouds at sunset, butterflies, cats,
we'd rather have cute little trinkets and quaint vignettes.
We want to see light, not sins and bitter regrets,
we want nothing to do with oligarchs and autocrats,
so please no more, really no more poems like that,
we just don't want any more of them, poems like that.
But I keep scribbling like crazy, I write more and more,
tirelessly as if racing against the war:
to every shell I respond with rhymes galore,
for every blast I have a chiasmus in store.
So I keep scribbling like crazy, I write more and more,
A hundred times every day I grab my old quill
and scribble away as if racing against the war,
and I'll outrun the war, I know I will!

translated by Dmitri Manin

Дмитрий Коломенский

Что там Харьков? Харькова нет.
От него остался скелет,
Череп, выбитые глазницы,
Пасть руинная. Город пуст –
Харьков-хрип это, Харьков-хруст.
Он ночами мне будет сниться.

Что там Киев? Киева нет.
Он заварен в бронежилет,
Он поглубже прибрал веселье,
Зубы сжал и глядит туда,
Где топорщит хитин орда,
Догрызая весну и зелень.

Что там Питер? И Питера нет –
Лишь водой уносимый след,
Только отсвет во мраке стынет.
Это летних ночей белок
Или выжатый жизнью Блок
Жжет костер в ледяной пустыне?

Женька съехала, съехал Марк
Жрать в Америке свой бигмак,
Съехал Влад, прикопив валюты.
А Сережа пустился в рост –
Отрастил себе шерсть и хвост,
Стал как все нормальные люди.

Dmitry Kolomensky

How's Kharkiv now? Kharkiv is gone.
What's left is the bare skeleton.
In the skull, empty sockets gape whitely,
Mouth in ruins. The city's a gap –
Kharkiv-gone, Kharkiv-rasp, Kharkiv-scrap.
It'll be haunting my dreams nightly.

How's Kyiv now? Kyiv is gone,
Bullet-proof, armour-clad, faceplate drawn.
Its world-facing eyes do not brighten.
With gritted teeth, it looks out
On spring greenery gnawed by the snout
Of the barbarous horde clad in chitin.

How's Piter? Piter's also gone –
The waterborne trace travels on,
The echo of light cools in darkness.
Is it born of the white nights' chalk,
Or the worn Alexander Blok
Keeping fire in the icy starkness?

Zhenka's gone; Mark is not coming back:
He'll chow down on his Yankee Big Mac.
Vlad is gone with his hard currency.
The growth-minded Sergei doesn't flail;
He grew shaggy fur and a tail,
Just like all normal people, you see.

Бродит шобла, бряцая туш,
Средь разрушенных наших душ,
Морды скотские нам кроя. Мы
Здесь как вытоптанная трава.
– Что за ямища там?
– Москва.
– Отойдите от края ямы.

Strolling trolls, playing oom-pah-pah,
Stomp upon our souls, pounded raw.
They pull bestial faces. We sit
Low, we, like trampled moss, grow.
– What's that monstrous pit?
– Moscow.
– Step away from the edge of the pit.

translated by Anna Krushelnitskaya

Познакомьтесь: это Вера Петровна – она людоед.
И не то чтобы Вера Петровна варила людей на обед – нет!
И не то чтобы Вера Петровна кралась в ночи тайком,
Поигрывая клинком, потюкивая клюкой, поцыкивая клыком:
Вот опять-таки нет! Вера Петровна растет как цветок:
Если дует западный ветер – клонится на восток,
Если дует восточный – на запад. И, что важнее всего,
В эти моменты Вера Петровна не ест никого.
Но когда начальник – не важно, велик ли он, мал –
Рассуждая публично о мире и счастье, подает особый сигнал,
Некий знак – то Вера Петровна считывает его на раз.
И тогда у нее распрямляются плечи, загорается красным глаз,
Отрастает религиозное чувство, классовая ненависть,
девичья честь –
И она начинает искать кого бы съесть.
Обнаружив враждебный взгляд, ядовитый язык, неприятный
            нос,
Простодушная Вера Петровна пишет донос,
Изощренная Вера Петровна пишет пособие или статью
Под названием «Наиболее полный перечень рекомендаций
.............по выявлению и пресечению деятельности
.............политически вредных элементов,
.............мешающих России подняться с колен и жить в раю».
А самая-самая Вера Петровна знает, что за так человечинки
не поднесут,
И устраивается работать в полицию, прокуратуру, суд –
Там и мясо свежей, и поставки бесперебойней, и устроено
все по уму;
И вообще, в коллективе питаться полезней, чем одному, чему
Существует масса примеров – в любой стране и во все века.

Meet Vera Petrovna! She is a cannibal.
No, it's not like she boils folks for dinner. She isn't an animal.
It's not like she prowls under the cloak of the night, hiding beneath,
Flashing her blade, rattling her cane, sucking her teeth –
No, nay, never! Vera Petrovna grows just like a plant.
Under westerly winds, she assumes an eastward slant.
Under easterly winds, she leans west, and, I'll have you know,
At those times, Vera doesn't eat anyone. No.
But whenever a boss, any big or small boss, any boss of any kind,
Speechifying about peace and joy, makes his special sign,
Gives a certain signal, then Vera Petrovna makes sure the sign
        has been read.
Her shoulders grow wide and her eyes glow a special red.
Her religious feelings, class hatred and virginal honour grow so
        big, in a beat,
That she begins searching for someone to eat.
Having detected an ugly look, an unpleasant nose, an
unwholesome conversation,
A simple Vera Petrovna will write a denunciation.
A sophisticated Vera Petrovna will write an article or a manual,
Titled 'The Comprehensive List of Recommendations
.........For the Identification and Disabling
.........Of the Politically Undesirable Elements,
.........Which Interfere with Russia's Ability to Rise From
.........Her Knees and Live in Bliss Perennial.'
But the truest Vera Petrovna knows the best places where they
serve human flesh raw,
So she goes to work for the prosecution, for the police, for the law,
Where the meat is fresh, the supply chain is great, and everything
works without a hitch.
Plus, eating together is healthier than eating alone, which
Has been proven time and again, no matter the age or the nation
in which you eat.

А уж соус, под которым человечинка наиболее сладка,
Выбирается в соответствии с эпохой, когда устанавливаются
Нормативы и параметры заготовок людского мясца.
Но потом времена меняются, начальство сигналит отбой.
Тут же Вера Петровна никнет плечами, красный глаз меняет
на голубой
Или карий; чувства, ненависть, честь умеряют пыл –
Человек становится с виду таким же, как был.
И мы едем с Верой Петровной в автобусе, обсуждаем дела –
Что редиска в этом году не пошла, а картошка пошла,
Что декабрь обещают бесснежный. И тут я вижу, что
Она как-то странно смотрит, будто пытается сквозь пальто
Разглядеть, какую часть меня – на жаркое, какую – в щи...
– Да и с мясом сейчас непросто, – говорит, – ищи-свищи –
Днем с огнем не найдешь пристойного.
....
Открываю рот.
Что сказать – не знаю, куда бежать – невдомек.
А мотор урчит, сердце стучит, автобус ползет вперед
И в глазу у Веры Петровны кровавый горит огонек.

2018

As to the gravy which makes human flesh taste especially sweet,
It should be picked with respect to the era in which you eat it,
Based on the extant norms of how human flesh should be
procured and treated.
But then, times change, and the boss gives a sign that active
feeding is through.
At once, Vera Petrovna's back goes slack and she switches her
red eyes to blue,
Or brown; her feelings, her hatred, her honour cool down from
hot to warm.
Once again, she assumes a regular person's form.
Then, Vera Petrovna and I have a neighbourly chat at the bus stop,
Like, radishes were crappy this year, but potatoes gave us a nice crop,
Like, they said we won't get any snow in December – but then I see
She is staring intently, strangely, right through my coat, at me,
As though deciding which part of me would be roast and which
would be stew.
'Meat's hard to come by, these days,' she says. 'The options are few.
Gotta kill for a decent cut.'

....

I open my mouth. I can't speak at all.
I don't know what to say, I don't know where to flee; if I'd
known, I'd have fled.
The motor is running, my heart is drumming, the bus goes forth
at a crawl,
And Vera Petrovna's eye is glowing blood-red.

2018

translated by Anna Krushelnitskaya

Нина Косман

Маленькому человеку непонятно из-за чего началась война.
НАТО, США, бандеровцы – для маленького человека всё это
лишь слова.
Маленький человек на той стороне войны слышит
«бандеровцы, денацификация»,
а маленький человек на этой видит руины родного города
и прячется в подвалы от танков и бомб.
Я – маленький человек. Я не хочу быть больше, чем я есть.
И хотя я живу далеко и меня с Украиной связывают только
мёртвые
(их больше тридцати – моих мёртвых в её земле,
хотя я видела снимки только прабабушки, прадедушки, и их
детей,
восемьдесят лет пролежавших в расстрельных рвах
под Луцком, Никополем, Кривым Рогом, Ровно и Чудновом:
мои мёртвые корни в земле Украины, из которых ничего не
растёт),
я не виню живущих сегодня украинцев в смерти моей семьи.
Они жили в своё время, а мы – в своё,
у каждого времени – своя беда
и живущие сегодня не виновны в гибели моих предков.

Мой прадед по материнской линии
увёз семью в Америку в конце позапрошлого века,
но так тосковал по родному Луцку, что не захотел
жить в Новом Свете и вернулся назад.
Каждый раз, когда я рассказываю об этом,
мне приходится реагировать на иронию,
мол, что он там позабыл, в этом Луцке, после семи лет в
Чикаго?

Nina Kossman

The little man does not understand why the war began.
NATO, the U.S., and Banderovtsy are just words to the little man.
The little man on one side of the war hears: 'Bandera, denazification',
and the little man on the other side sees the ruins of his hometown
and hides in basements from tanks and bombs.
I am that 'little man'. I don't want to be more than I am.
And although I live far away and only my dead connect me to Ukraine
(there are more than thirty of them – my dead in her land,
But I have only seen pictures of my great-grandparents and their grandchildren,
who, for over eighty years, have lain in execution pits
near Lutsk, Nikopol, Krivoy Rog, Rovno and Chudnov –
my dead roots in the soil of Ukraine from which nothing grows),
I don't blame the Ukrainians living today for the death of my family.
They lived in their time and we live in ours.
Each time has its own misfortune,
and those living today are not to blame for the deaths of my ancestors.

My maternal great-grandfather
took his family to America at the end of the nineteenth century,
but he was so homesick for his native Lutsk
that he didn't want to stay in the New World and went back.
Every time I mention this, I have to respond to ironic questions,
'What had he forgotten in Lutsk, after seven years in Chicago?'

Ностальгия, – говорю, – странная штука.
Сама её испытала, хотя не вернулась,
разве что проездом, в Луцк, в котором была впервые,
ведь не я там родилась, а мои прабабка, прадед и дед.
Была в Луцке, никого там не встретила,
в архиве не было сведений о моей семье,
на месте расстрельного рва не было ничего,
ни памятника, ни —
но зато я –
да, зато, я –
испытала странное чувство счастья в поезде изо Львова в
Луцк.
Такого счастья я не испытывала никогда.
Это счастье было так велико, что мне казалось будто кто-то
бросил в мой мозг
бомбу счастья и мой мозг полыхал в этом непонятном огне.

Теперь совсем другие бомбы падают на Львов и Луцк,
и мои мёртвые – те, чьих имён не осталось в архивах,
те, на чьих общих могилах до сих пор нет памятника,
как когда-то его не было на Бабьем Яру,
мои мёртвые – знаю – на стороне живых,
тех, кто не помнят об их могилах,
тех, кого мы зовём украинцами,
тех, кто бегут от бомб.

Маленький человек, если тебя убивают,
какой бы национальности ты ни был,
я за тебя.

'Nostalgia,' I say, 'is a strange thing.'
I experienced it myself, though I never went back,
except to Lutsk, where I was for the first time,
since it was the birthplace of my maternal great-grandparents.
I went to Lutsk but did not meet anyone there,
There was no information about my family in the archives,
There was nothing at the place of the execution pit,
no monument, nothing at all –
But I –
I experienced a strange feeling of happiness on the train from
Lviv to Lutsk.
I had never experienced anything like this before.
It was so great that I felt as if someone had thrown
a bomb of happiness into my brain and it went up in this
incomprehensible burst.

Now very different bombs are falling on Lviv and Lutsk,
and my dead – those whose names are not in the archives,
those on whose common graves there is still no monument,
as there once was none at Babi Yar,
my dead are on the side of the living,
those who do not remember the execution pits,
those we call Ukrainians,
those who hide from the bombs.

Little man, whenever you are being killed,
no matter what nationality you are,
I'm for you.

translated by the author

Лена Крайцберг

У вас там кто?
У меня там детство.
У меня там – сон
О большой семье
Под цветущими вишнями
Сестры деда
Братья бабушки.
И вода – седьмая на киселе.

У меня там в Красино винограды,
Огород, скотина, возможно, куры.
Джойнт присылал инвентарь, рассаду,
И помог немного с инфраструктурой.
Глиняный пол. Еврейский колхоз.
У бабушки любимая телочка умирает
Шкуру ее высушивают в сарае
И сарая она боится до слез.
А потом – война.
Которая?
Та, вторая...

У меня там родня за длинным столом.
Дед живой, весёлый:
За встречу выпили.
И я охраняю его, дачным двором
Следом крадусь: я пьяных раньше не видела.

У меня там коса, заплетенная ещё в Кишиневе,
Расплетается: самой не переплести, потерплю до дома.
Стёртые в кровь в долгих прогулках пятки.
Но в этом я не признаюсь никому на свете.
И подводные крылья до Одессы
Если вцепиться в поручень – не укачает
То есть, ещё как укачает, но никто не заметит.

Lena Kraitsberg

Who do you have there?
I have my childhood there
I have a dream there
A big family
Beneath the blossoming cherries
Grandpa's sisters
Grandma's brothers
And seventh cousins twice removed.

I have vines there, in Krasino,
A vegetable garden, cattle, maybe chickens.
The JDC's been sending supplies and seedlings
And lent a hand with the infrastructure.
A clay floor. A Jewish collective farm.
Grandma's favourite heifer is dead
They're drying her hide in the barn
Now the barn scares her silly.
And then the war.
Which war?
That one, the second ...

I have kinsfolk there at the long table.
Grandpa's alive and cheerful
They've greeted our meeting with a skinful
And I'm guarding him, sneaking about
the dacha yard: I've never seen drunks before.

I have pigtails there, braided back in Kishinev,
They're coming undone: I can't put them back in myself, I'll
wait till I get home.
My heels are chafed to bleeding from long walks
But I won't admit it to anyone in the world.
And the hydrofoils to Odessa
If you hold on to the handrail you won't get seasick.
I mean you will, but no one will notice.

translated by Richard Coombes

Сергей Круглов

На попа, проповедующего Евангелие,
особенно в части неубийства,
прихожанки в церкви смотрят с подозрением.
Прихожанки после проповеди молчат, поджав губы,
мелко крестятся в сторону запечатанного иконостасом
алтаря,
стараясь не сталкиваться с попом взглядами,
толкаясь – «Простите, благословите!» – выходят из храма,
выйдя, ещё раз благочестиво крестятся на двери.
Отойдя на приличное расстояние, шумно, страстно наконец
таки выдыхают,
истицают соком, стоном, страхом, огнём, цветеньем,
вдовством и материнством,
валятся ниц перед подлинными своими богами –
Эросом и Танатосом.
Прихожанки любят марширующих военных,
любят петь плачи вслед уходящим на фронт,
жалеют погибших солдатиков,
всех солдатиков, в принципе, даже и всех армий, –
кроме одного: ни с кем не воевавшего, никого не убившего,
никогда не маршировавшего в общем строю,
нестандартного одноногого оловянного,
которого на всём свете замечает
разве одна только плоская бумажная танцовщица,
летящая и летящая вечно
в неотвратимое жерло печи, но так ни разу
и не поклонившаяся огню.

Sergei Kruglov

The women in church stare suspiciously at the priest
preaching the Gospel,
especially when he gets to the thou-shalt-not-kill part.
After the sermon the women keep quiet, tight-lipped,
make hasty signs of cross toward the altar
plastered with icons,
they avoid meeting the priest's eyes,
they bump shoulders – Beg pardon, bless you! – on their way out,
they cross themselves piously turning back to the door.
When at a safe distance from the church, they finally exhale –
noisily, passionately,
they ejaculate moans, juice, fear, fire, bloom, widowhood and
motherhood,
they fall prostrate before their true deities, Eros and Thanatos.
The churchgoing women love marching soldiers,
they love singing dirges after men going to war,
they pity the killed soldier boys,
all soldiers in fact, from all armies even,
just not the one who never went to war, never killed anybody,
never marched in formation with everyone else,
the substandard one-legged tin soldier
who is noticed, of all people, only by
a thin, flat danseuse cut out of paper,
the one who hurtles eternally
into the inexorable mouth of the furnace, yet
hasn't once worshipped fire.

translated by Dmitri Manin

Анна Крушельницкая

Фарш

Может вы очнулись в божии сумерки
Гля – а чёрное незавтра висит вися
Но не все ещё предъявлены номерки
Но не все ещё проверены подпися

Все обязанности так же как и вчера
Кто пока живет не в жопе – не на призыв
Напишите напишите стишок пера
Подпишите подпишите письмо-призыв

Почитайте альджазиру чего бы нет
Посмотрите на ютубе протеста марш
Но пока не ваша очередь на паштет
Тут до вас ещё другие пойдут на фарш

В понедельник по присутствиям без затей
Юбки гладим жопы в горсти и все вперед
Запишите в летний лагерь своих детей
Это будущее ваше оно не ждёт

Anna Krushelnitskaya

Hash

Maybe you wake up one fine Götterdämmerung
Lo – a black nonmorrow hangs over high and dry
Still there are some numbers left that need numbering
There are signachores we still need to verify

All of your responsibilities still apply
If you don't live in a hellhole do not enlist
Go on write a little poem and sigh and cry
Sign a little letter so the bad guys desist

Go on reading Al Jazeera – why yes you may
Watch YouTube to see police and protesters clash
At this time it's not your turn to become pâté
You are not the first in line to be chopped for hash

Monday morning back to office now be a champ
Ironed skirt and butt in gear and do not be late
Also do sign up your kids for that summer camp
They're your future it's your future and it won't wait

translated by the author

И те что кричали тебе: бог! бог!
Завтра будут кричать: сдох! сдох!
Вдруг вспомнят тобой удавленных малых сих
И каждый тобой отравленный старый псих
Те что ласкали твой ствол: жарь! жарь!
Услышат: зовёт тебя ад: тварь! тварь!
Те кто таскал твой подол, рад, рад,
Увидят: ползёшь под пол, в смрад, в смрад
Слиняют те кто молился на твой огнемёт
Задушит тебя язык и башка отгниет
И жирные черви полезут из чёрных глазниц
Несъедобные для жаворонков и синиц

And those who used to hail you: god! god!
Tomorrow will yell after you: gone! gone!
Suddenly they'll remember all those you've snuffed
And every old geezer who'd bought your bluff and guff
Who used to stroke your staff: cum! cum!
Will hear hell calling you: scum! scum!
Those who fought for your coattails, wink-wink
Will see you crawling under and stink, stink
Who worshiped your howitzer will bail out on the spot
You'll choke on your own tongue and your head will rot
And out of your black sockets, fat worms will gush
Inedible for the nightingale and the thrush

translated by Dmitri Manin

Александр Ланин

Дети

Сто шесть человек прибыли, тридцать четыре убыли.
Бабушки из Харькова, мамы из Мариуполя –
Без языка, без денег, без соцсетей,
С вопросами, запросами, с нервами, а не тросами...

Дети держатся.
Родители держатся за детей.

Коротко стриженный мальчик рисует деда Мороза, потом
резко штрихует чёрным.
– 'Что это? Бомба? Взрыв?'
– 'Дядя, о чём вы? Это борода.' Мальчик смеётся из-под руки.
Ну и дураки эти взрослые... Ну и дураки...

Взрослые ищут платформу, хватают кофе, залпом выходят
в сеть.
Дети держатся лучше них, держатся лучше нас, держатся
лучше всех.

После четырёх дней и ночей дороги:
– 'Мама, у меня устали ноги.'
– 'Мама, я хочу спать.'
– 'Мама, болит вот здесь.'...
Только этого ничего нет. А что есть?
– 'Дядя, меня зовут Вова, а тебя как?'
– 'Можно бабушке водички? Дякую.'
– 'Мама, не надо мороженое, дорого на вокзале.'
– 'Переведите, будь ласка, что там сказали.'

Alexander Lanin

The Kids

One hundred and six people arrived, thirty-four could leave.
Mothers from Mariupol, grandmothers from Kharkiv –
No money, no one speaks the language, no networking skills.
Questions, demands, things getting out of hand –

The kids hold on
The adults hold on to the kids.

A boy with short hair draws Santa, then suddenly adds a black smear.
– What is it? An explosion? A bomb?
– Can't you see? It's his beard.
The boy laughs, peeking from under his arm.
Adults are sometimes so dumb... they really are...

The adults find out the where and when, grab a coffee, get lost in the internet.
The kids hold on better than them, better than us, or anyone else I've met.

After four days and nights spent on the road:
– Mommy, my legs are worn out.
– Mommy, I need a rest.
– Mommy, it hurts right here.
Except I heard none of that. What did I hear?
– Hi, my name is Vlad, and what's yours?
– Can I have some water for grandma? Thank you!
– Don't buy any ice cream, here it costs the earth.
– Could you translate for me, please, what they are saying?

Поезд гудит мирным своим гудком,
Взъерошенной чёлкой, сломанным ноготком,
Заплетённой косичкой, мишкой в руке,
Кошкой в переноске, собачкой на поводке.

Это у взрослых нет ничего – паспорт и чемодан,
Ещё зарядка, без которой вообще каюк.
А дети держат любой удар, они пластичнее, чем удар,
Они прозрачнее, чем удар, они как вода, журчат и поют,
Даже когда молчат, всё равно поют.

Дети лечат страх, дети снимают боль.
Детям проще – мама с собой, значит всё с собой.

Группа из десяти человек. Половина – глухонемых.
Волонтёр-пакистанец не знает, кому поручить билет?
– 'Вот этой девочке.'
– 'Но ей же двенадцать лет!'
– 'Я говорил с ней, бро, она взрослее, чем мы...'

Боже, вот я стою в белом своем пальто,
В бесполезном своём пальто, в самом тылу добра.
Боже, будь ласка, дай ей немного детства хотя бы потом,
Верни ей то, что сейчас забрал.

The locomotive's humming its peaceful air
With disorderly hair, a broken nail,
Stringy bangs, holding a teddy bear,
A cat in a carrier, a pup wagging its tail.

Adults don't have much – just their passport, a carry-on
And a charger which is essential to run the show
But the kids can dodge any blow, they evade the blow
They can flow with it, like water, they croon and flow
Even when they are silent, still, they are crooning on

Kids take away the pain, kids heal the fear
For them it's simple, if mom is here everything is here

A group of ten people, many of them are deaf.
A volunteer from Pakistan is not sure to whom the ticket
should go.
– To that girl over there.
– But she's only twelve!
– I spoke to her, she is more adult than us, bro!

Oh Lord, here I stand, wearing all white,
Wearing the useless white, in the rear lines of Good.
Please, later on give her back some of her childhood,
Give her back, dear Lord, what was taken away in this fight.

translated by Andrei Burago

Ольга Левская

Мирное небо, мирные долы,
мирные древа растут.
Мирные реки и мирные села.
Мирно и где-то, и тут.
Мирные яблони, мирные вишни,
мирных степей аромат.
Мирную штору так мирно колышет
ветер, и, миром объят,
дремлет младенец, и мирная пашня –
тяжести зёрен ладонь.

Мирные пушки так мирно, нестрашно
в мир посылают огонь.
Мирные тихо летят самолёты.
Мирные танки звенят.
Мирно убили для мира кого-то.
Просто пока не меня.

Olga Levskaya

Peace in the sky and on earth below,
peace in village and vale.
Pines in the forest peacefully grow.
Peace here and far away.
Peace in the cherries and apple trees,
the steppe is peacefully wild.
Curtains blow peacefully in the breeze,
and bathed in peace, sleeps the child.
Stalks in the peaceful field grow tall,
a heavy handful of rye.

Cannons, so peaceful, not scary at all,
throw peaceful fire in the sky.
Peaceful planes glide in formation like geese,
tanks jingle peacefully.
Someone is peacefully murdered for peace –
for now it isn't me.

translated by Dmitri Manin

Сергей Лейбград

первое в земле обетованной
(в квартире бетонной и съемной)

на высохшей глине с гробницами вровень
ничтожная личность которая против
война это время беспомощной крови
бессмысленной плоти

мой русский язык соглядатай бездомный
сгодится на то чтоб у края нирваны
в удушливом мраке жилплощади съёмной
расчёсывать раны

я больше не верю в бессмертную душу
я больше не знаю безумных влечений
я смысла не вижу я смысла не слышу
не помню значений

Sergei Leibgrad

the first thing in the Promised Land (in a concrete rented flat)

on dried clay flush with burial places
a total nonentity set against
war is a time of helpless blood
of witless flesh

my outcast skulking Russian tongue
will come in handy (all but in heaven
in the stifling gloom of a rented apartment)
to scratch my lesions

I no longer believe in the immortal soul
I no longer feel any crazy cravings
I see no sense I hear no sense
I've forgotten the meanings

translated by Richard Coombes

Герман Лукомников

Как же так
Твоих друзей
Сажают
Мучают
Убивают
Начинается война
А ты
Сам в постоянном ожиданье
То ли ареста
То ли бомбы
Переводишь Гамлета
Или Божественную комедию
Или составляешь
Этимологический словарь русского языка
И может быть даже
Получаешь за это
Премию тирана
Гордясь что промолчал когда все выкрикивали
приветствие
Да
Так как-то вот

Herman Lukomnikov

How can it be
That your friends
Are jailed
Tortured
Murdered
That a war begins
And you too
Expect every minute
An arrest
Or a bomb
But keep translating Hamlet
Or the Divine Comedy
Or compiling
An etymological dictionary of the Russian language
And perhaps
You even receive
A prize from the tyrant
Priding yourself on keeping quiet when everybody hailed him
Yeah
Just, y'know, like that

translated by Dmitri Manin

Это я, Герман Лукомников,
не смог остановить сумасшедших полковников.
Мои поэтические строчки
не спасли ничьего сына, ничьей дочки.
Здесь должно быть какое-то продолжение,
но я не нахожу подходящее выражение

The blame is on me, Herman Lukomnikoff,
for failing to curb the mad colonels, to call them off.
My poetic lines, however well-styled,
never saved the life of anyone's child.
I feel that this poem needs to continue,
but there's no strength left in my mental sinew

translated by Dmitri Manin

Шаши Мартынова

по вот этому солнцу
по престарелому снегу
я выхожу на звук
талых илистых мыслей
это не стикс, стикс малый приток
этой большой воды
в ней завихряется вся
предыдущая жизнь
будто эта весна
вышибает впервые
из черепа всё
что в нем было
вышла из черепа чашка
в ней через край
весна продолжает лить
я сижу на берегу
с чашкой в руках
пеший без головы
вода поднимается
по реке проплывают
обломки бесчисленных жизней
не поймать не поправить
зрений прозрений
обаяний объятий
по движениям воздуха
знаю всех кто вынес
чашку свою к реке
и тех кто бросился в воду
ждать совершенно нечего
ничего моего не осталось
всё теперь по-настоящему

Shashi Martynova

in this here sun
upon this elderly snow
i come out to the sound
of molten mucky thoughts
this isn't the styx, the styx is a small tributary
of this big water
holding the maelstrom of all
previous life
as though this spring
for the first time knocks
out of my skull
all that it held
the skull turns into a cup
which runneth over
with spring which keeps flooding
i sit on the bank
hold my cup in my hands
no ride no head
the water rises
the river carries
the flotsam and jetsam of countless lives
can't catch them can't fix them
the sights the insights
the enchantments embraces
the currents of air
tell me of all who carried
their cups out to the river
and those who threw themselves in the water
there's nothing to wait for
now nothing is mine
now everything got real

translated by Anna Krushelnitskaya

Ирина Машинская

Пан Чуклинский

На ладье за налогами князь отправляется, мёдом, мехами,
только вскроется Волхов,
теряет покровы земля,
заголяясь
болотами-мхами,

и налёгши на свежие вёсла, терзают уключины други,
а на правом крутом,
вон, глядит, заметались костры,
как вернулись
из греков варяги.

А на пойменном левом отлогом, как ветром, сгибаемы
данью,
к нему двинут Тростник и Осока,
и затона зрачок
не поспеет
за вёсельной тенью.

У Добрыни лицо, как вода, а зрачки – что коряги в затоне,
где по зарослям первенцев прячут.
А что так не дадут,
он легко, улыбаясь,
отымет.

Irina Mashinski

Pan Chuklinski

When ice melts on the Volkhov and ground sheds its shroud –
bared
naked –
swamp and moss – the prince embarks
on the river, collecting honey, fur and taxes.

His oarsmen stretch the oars, torture the oarlocks;
from the right bank
fires lash –
the Varyags have returned
from the Greeks.

From the left, gentle shore, bowed – as if by wind – to render
tribute,
Trostnik the Reed Grass and Osoka the Sedge Grass set sail
to meet him
as the stillwater's eye
falls back
from the oar's shadow.

Dobryna the Kind's face is like water, his eye like a sawyer's in
backwaters where they hide the first born in rushes –
whatever is not given freely,
the smiling knight
plunders.

Только что мне, скажи, эти витязи, что угрюмая летопись
та мне –
где не Грозный, так Вешатель,
а Блаженный – так весел и прям,
за лесами, за чудо-
кустами.

На зачатье висели над полем небесные серые камни
кругом грубым таким, что вовек
никуда мне от них,
но ты, пане,
не помни.

По кремнистым ручьям на кремнистый выходишь на
шлях ты –
и ни лисьих сокровищ,
ни византийской смолы:
крупной солью
рассеянной шляхты.

2012

But tell me what are these heroes to me,
all these dark chronicles –
if it is not the Terrible, then it is the Hangman,
and God's Fool is fair and direct
in the land lurking in fairy-tale
bushes.

When I was conceived, grey, celestial rocks
in a tight circle
hovered above the field – I'm still in it
but you, Pan Chuklinski,
are free.

On milky streams, along the sky's flint tracks, you come –
with no cunning treasures, fox's fur,
no Byzantine resins – only the coarse,
hard-grained salt of your scattered
nobility.

2012

translated by Tony Brinkley and the author

Юлия Немировская

Крестной Вере Гороховой

Поднимаю голову; в дУше вода из прорезей;
шипит водища, что есть струи выше и чище.
Крестная Вера Горохова, Верочка, рот твой горестен,
твои глаза воронки, волосы пепелище.

У нас вырос нарцисс, желтый цвет теперь навсегда,
как и синий неба, но я не о том, я просто.
Ангел воды умеет говорить вода.
Ангел беды умеет разбрасывать кости.

Среди фикусов в Бабушкино тебя бросила я одну.
Смотришь то в окно, то в экран обезьяньего бога.
Что еще тебе нужно, чтобы поверить в эту войну?
Двухсотых мальчиков? в микрорайоне их будет много.

Съешь их мертвые головы, ковыляй в луковый храм,
исцеловывай вокруг ликов резное железо.
Любовь и месть рвут меня пополам.
Днем плачу, ночью точу луны смертельное лезвие.

Julia Nemirovskaya

to my godmother Vera Gorokhova

I lift my head; water rushes from showerhead gashes;
water hisses of streams more soaring, fresher, more sheer.
Godmother Vera, your eyes are craters, your hair is ashes,
Your mouth is grief-stricken, Vera my dear.

A daffodil blooms; yellow won't ever be forgotten,
As well as the blue of the sky, but that's not my point; it doesn't
    matter.
The angel of water has words about water.
The angel of horror has bones to scatter.

I've abandoned you to your houseplants in Babushkino.
You look out of the window, then back into your ape god screen.
What more do you need to believe that this is a war?
Cargo 200 boys? There'll be many of them on your street.

Eat their dead heads, clomp down to the church of onion chaff,
kiss the wrought-iron frames 'round the faces of saints till you swoon.
Love and revenge tear at me and split me in half.
I cry in the day, but at night I sharpen the deadly blade of the moon.

translated by Anna Krushelnitskaya

Цинь Шихуанди

Победим мы или нет спрашивает император Цинь
Отвечает астролог все зависит от фазы луны
Но у нас говорит Цинь луна ушла из страны
а луну из глины видят только слепцы

Тогда по костям пленных гадать предлагает астролог
по полетам птиц над устьем великой реки
Но всех пленных сожгли ждать новых придется долго
птицы стали хитры и не попадают в силки

По предсмертным крикам дев когда солдаты насилуют их
    убивая
говорит астролог не глядя Циню в глаза
Но чтоб были живые солдаты девы нужны живые
а у нас все из глины без дев больше нельзя

Так говорит император и призывает охрану
Простершись астролог ползет задом к двери
Его хватают вырезают сердце он щупает рану
Ну сердце по тебе гадают давай говори

Сердце сжимается разжимается сжимается разжимается
Мертвая армия Цинь Шихуанди на бой поднимается

Qin Shi Huang

Are we going to win or not Emperor Qin demands
His astrologer says it depends on the phase of the moon
But the moon Qin says has already left our lands
and the moon of clay can be only seen by blind men

The astrologer suggests divination by prisoners' bones
by the flight of birds over the great river's mouth
But they've burned all prisoners and who knows when they'll
    capture new ones
and the birds learned clever tricks and migrated south

By the dying cries of maidens when soldiers rape and maim them
the astrologist says without looking Qin in the eye
But in order to have live soldiers we need live maidens
and ours are all made of clay we are running dry

So the Emperor says and he summons the guard
The astrologer grovels and crawls feet first to the door
They grab him and cut out his heart he touches the gore
They want you to tell their fortunes speak up my heart

The astrologer's heart relaxes contracts relaxes contracts
Qin Shi Huang's dead army rises for an attack

translated by Dmitri Manin

Алексей Олейников

Летит весь мир ко всем чертям, война по всем фронтам
Ракеты бьют по площадям, больницам и домам
Вопрос нелеп, смешон и глуп, как чучело моржа
Скажите, братцы, как ввезти мне в Грузию ежа?

И смех, и грех, и стыд, и срам, гоморра и содом
Какой тут еж, когда от бомб обрушился весь дом?
Какой тут еж, когда детей в охапку и бежать?
Какой тут еж, когда тебя решили убивать?

Да, знаем, знаем, орки мы, мордва, мокша, мошка
Нас выплюнет родной народ, его сметет рука
Не рады здесь, не рады там, и мы бежим бежа
Скажите все же, как ввезти мне в Грузию ежа?

Нам слишком долго внятен был эфирный перезвон
Нам в уши долго лил елей вечерний мудозвон
Рассохлись скрепы, слышен визг и стоны крепежа
Скажите, как теперь нам быть и как ввезти ежа?

Откуда эта чушь и блажь, московский сытый бред?
Из довоенных теплых дней, каких уж больше нет
Под хвост какая, милый друг, попала вам вожжа?
Куда бежите вы, зачем вы тащите ежа?

Alexei Oleinikov

The world is going to the dogs, it's war on every front
Airstrikes on hospitals and homes, civilians bear the brunt
My question may be dumb and dopey like a drunken doe
But if I go to Georgia now, then can my hedgehog go?

It's stupid, shameful, sinful, Sodom, mayhem, run or bust
How can I think of hedgehogs when your house is bombed to dust?
How can I think of hedgehogs when you grab the kids and run?
How can I think of hedgehogs when they want you dead and gone?

We know, we know: the orcs, the plebs, the grubs, the gnats, the scum
Our grand ole nation spits us out and grinds under its thumb
Unwanted here, unwanted there, skedaddling as we flee
But can my hedgehog come to Georgia if he comes with me?

We were too clear on what they meant, broadcasting that old song
The evening ringer-of-the-balls would loudly ring his dong
The staples squeak, we hear the screeching of old pins and pegs
Where do we go, and do our hedgehogs come on their own legs?

What's all this hogwash, balderdash, these comfy Moscow words?
Those were the days before the war, which won't be afterwards
What's wrong with you, my sweet old friend, is something up
    your craw?
Why do you run and pull along your hedgehog by the paw?

Везут собак и обезьян, шиншилл и хомяков
И попугаев, и кротов, сурков и пауков
Везут котов и черепах, енотов и чижа
Но нет ответа, как ввезти мне в Грузию ежа

Куда, куда вы собрались, национал-бомжи?
Ни вы, там, в общем, не нужны, ни ваши, блин, ежи
А может еж ваш – патриот, он любит сок берез?
Ильин ему куда милей, чем Сартр и Делез?

Сметают сахар, спички, соль, настал последний час
И месяц март как леденец облизывает нас
Глупее фронды не сыскать, тупее мятежа
Иди на площадь, наконец, возьми с собой ежа

Пусть он покажет, как вставать навстречу букве зет
Пусть он покажет, как держать за всех один ответ
Когда на улицах союз гадюк и гипножаб
Ежи нужнее на Руси. Пусть он возглавит штаб

Нам не отмыться до седин, до самых смертных дней
Бывали хуже времена, но не было смешней
Чужая жизнь на волоске, на кончике ножа
А нас все мучает вопрос, как вывезти ежа

Учил нас летчик Антуан, но позабыт урок
Когда растили мы детей, кто шел на третий срок?
Когда сажали дивный сад и объявляли сбор
Кто убивал, кто воровал и кто точил топор?

They're bringing dogs and marmosets, chinchillas, mice, and rats,
And skinks, and parrots, moles, and voles, plus hamsters, spiders,
    bats,
They're bringing cats and turtles, and someone has a grub
But can my hedgehog come to Georgia? Can he? There's the rub

Where are you running, traitors, gnats, you pointless homeless
    spawn?
Nobody wants you nor the hedgehogs that you rode in on
Your hedgehog loves his country where birches give him juice
What if he hates your Sartre and your decadent Deleuze?

Salt, sugar, matches going-gone, it's the Apocalypse
March licks us like a lollipop stuck between his lips
There is no riot stupider, no mutiny as dumb
Take to the streets and take your hedgehog; this time, he can come

He'll show them how to rise against the spiky letter Z
He'll show them there's no 'I' in 'weapon'; there is only 'we'
We're fighting vipers in cahoots with toads that lie on cue
Russia needs your hedgehog. He'll be heading the HQ

We'll never wash this stink away, we'll always wear this stain
Yes, we've seen harder times before, but never more inane
Whole lives are hanging off this cliff, so fragile, touch-and-go
Yet hedgehog travel tips are what we really want to know

Antoine the pilot said some words, but which, we can't confirm
We raised our kids, but who was that who ran for his third term?
We planted lovely gardens and gathered fruits in sacks
But who was that who killed, and stole, and sharpened his old axe?

Мы думали, что он ручной, и что он на цепи
Проснулся господин Дракон и пасть его в крови.
Нам отвечать за палачей, преступников, ворюг,
хотя они не ели хлеб из наших слабых рук

Летим по миру будто пух, чертополох, трава
Перекати по полю тень, перепиши слова
Ах Катя, вот уже сто лет царапина свежа
И снова мучает вопрос – куда девать ежа?

We really thought that he was tame, just snarling in his crate
But Smaug woke up, red with the blood of everyone he ate
We are responsible for killers, torturers, and heels
Although it wasn't our weak hands that offered them their meals

We roll around like tumbleweeds, like thistles, seedheads, small
Our shadows rolling through the hay, our pens are rollerball
It's been a century, and we have always felt this thorn
But what about my hedgehog? I am completely torn

translated by Anna Krushelnitskaya

Вера Павлова

Кто в подвале зачах?
Кто под землю несёт
девочку на сносях,
раненую в живот?
Кто при свете свечи
жизнью должен истечь?
Всё, стишок, замолчи.
Тут кончается речь.

Vera Pavlova

Who fades away underground?
Who's carrying to the basement
this girl, young and pregnant,
with an abdominal wound?
When the candle is lit,
whose life must be drained?
Hush, my poem, that's it.
We are at speech's end.

translated by Dmitri Manin

апофеоз войны
сажи золы бурьяна
все до одной черны
клавиши фортепьяно
будем играть на нём
размазывая копоть
под проливным огнем
в чьей-то крови по локоть

apotheosis of war
of ashes of soot and brambles
there are no white keys any more
on a piano, only the black ones
let us start playing it then
spreading around the smut
under the pouring flames and
up to our elbows in blood

translated by Andrei Burago

Не говори: я стреляю мимо.
Пуля не дура – летит до конца.
Выстрелишь в небо – убьёшь херувима.
Выстрелишь в землю – убьёшь мертвеца.
Птицу. Крота. Стрекозу. Полёвку.
Пуля не дура – найдёт себе цель.
Не слушай комбата – бросай винтовку.
Послушайся маму – забейся в щель.

Don't say that you shoot in the air.
The bullet will find its purpose.
Aim high and you murder a cherub,
Aim low and you slaughter a corpse.
A bird, a rabbit, a mole.
The bullet will find its prey.
Listen to mama, hide in a hole,
Toss your rifle away.

translated by Andrei Burago

Одним врут
другим 'Град'
и ты Брут
и ты Брат
Слепой крот
пахан блох
весь мир ждет
чтоб ты сдох

Tall tales for some
some scream in pain
Brutus my son
brother mine Cain
That sightless rat
lord of the lice
the whole world awaits
the day he dies

translated by Andrei Burago

Юлия Пикалова

Не убий

Не убий
 Они и так не убиты
Не убий
– Зато теперь мы квиты
Не убий
– Пускай посидят в подвале
Не убий
– Но раньше ведь убивали
Не убий
– Это они себя сами
  И скулят под завалами зовут запад тихими голосами
Не убий
– Мы один народ они отбились от рук
  Мы поступаем как поступает друг
  Наша поступь тверда
  Они ещё скажут да
  Спасению от гнилого запада
Не убий
– Тогда убили бы нас
  Славься спецоперация
  Славься спецназ
  Славьтесь российские войска
  Za то что планета жива пока
  Славься Путин мессия
  Славься Россия
Не убий
– Мир вокруг погряз во лжи
  Белую повязку ему повяжи
  Тогда не возьмём на прицел
  Будет цел

Julia Pikalova

Don't Kill

Don't kill
– No one's killed they're all living
Don't kill
– At least now we are even-steven
Don't kill
– Let them crouch in the basement some more
Don't kill
– But killing was fine before
Don't kill
– It was them they killed their own
  Now they sit under rubble calling out to the West now they
moan
Don't kill
– They aren't even a nation they need a firm hand
  What we do to them we do as a friend
  And we won't rest
  Till they see it's best
  For them to be saved from the wicked West
Don't kill
– Then they will kill us
  Glory to the special operation
  Glory to the Spetsnaz
  Glory to Russia's military force
  Thanks to Zem the planet is staying its course
  Glory to Putin the saviour and crusher
  Glory to Russia
Don't kill
– The world lies in evil lies
  Put a white armband on it now it's one of our guys
  Then we'll point our guns away
  It can stay

Не убий
– Это борьба за мир
Не убий
– Точечно нацистов не ошибается командир
Не убий
– Знаешь не всё так просто
Не убий
– Шлю ковёр и костюмчик по росту
   На вырост позже найду
   В аду
Не убий
– А пятой колонне с глазами полными влаги
   Мы напомним как их дедов исправляли в гулаге
Не убий
– Мир просто не понял как ему повеZло
   Мы абсолютное чистое беспримесное

Don't kill
– For peace we'll do what it takes
Don't kill
– Precision strikes on the Nazis the commander makes no
mistakes
Don't kill
– You know this issue has two sides
Don't kill
– Sending you a rug and the kid a coat in his size
   I'll mail a larger one once I find it as well
   In hell
Don't kill
– We remind the traitorous weeping fifth column
   Of their granddads in the Gulag that's where we can haul 'em
Don't kill
– The world doesn't know what good newZ we bring in this
   upheaval
   We are the pure absolute unadulterated

translated by Anna Krushelnitskaya

Сергей Плотов

Был Андрюха бухнуть не дурак,
Спорил с тёщей, болел за «Спартак»
И заначку имел от жены...
Это было ещё до войны.

Таня сбросить мечтала кило,
Чтобы к лету влезать в то, что шло,
Но срывалась и ела блины...
Это было ещё до войны.

Льву Семёнычу семьдесят пять.
В десять вечера брёл он в кровать
И смотрел неприличные сны...
Это было ещё до войны.

Глеб исследовал фазы луны.
Кот дурел с приближеньем весны.
Оле нравились все пацаны.
Бомж Василий лежал у стены.
Крики чаек и шелест волны,
Набегающей на валуны...
Звуки лопнувшей где-то струны...
Много было всего до войны.

Sergey Plotov

Andy wasn't a stranger to booze.
He would fight with his wife, watch sports news,
Keep a stash in the cutlery drawer.
All of this was ahead of the war.

Tanya wanted to lose a few pounds,
Fit again in her favourite pants,
But it's hard to resist petits fours...
All of this was ahead of the war.

Lev Semyonich was seventy-five.
He would trudge to his bed every night
And enjoy lucid dreams full of porn.
All of this was ahead of the war.

Bob was spending his days in bookstores,
Olga wondered if she was a whore,
Rita's cat ran away to explore,
Vasya, homeless, slept next to a door.
Cawing seagulls and splashing of oars,
Swish of waves gently touching the shore...
Distant echoes of dissonant chords...
Many things were ahead of the war.

translated by Andrei Burago

А он такой: «Там это... ждут пацаны».
А она такая: «Ну, если ждут, то беги».
А он такой: «Увидимся после войны?»
А она такая: «Ага. Себя береги».

А он такой: «Я постараюсь, мась».
А она такая: «Хотя бы ради меня».
А он такой: «Позвоню, если будет связь»
А она такая: «Пусть кончится эта фигня»

А он такой: «Ну чо, типа, будешь ждать?»
А она такая: «Куда тебя чёрт несёт?»
А он такой: «Да ладно, прорвёмся, блядь...»
Но она-то сердцем чувствует – вот и всё...

And he's like 'Huh, listen... the boys been waiting'
And she's like 'I get it. You have to go'
And he's like 'I'll see you when all this has ended'
And she's like 'OK. You be careful, you know'

And he's like 'I'll try, babe. I'll do my best'
And she's like 'You do that. Do that for me'
And he's like 'If there's any service, I'll text'
And she's like 'Oh fuck, do you have to leave?'

And he's like 'No worries, the war will pass'
And she's like 'I really hate this shit!'
And he's like 'Oh stop it. We'll kick their ass'
But deep down she feels it, she knows: that is it...

translated by Andrei Burago

Мария Ремизова

Вот дом,
Который разрушил Джек.
А это те из жильцов, что остались,
Которые в темном подвале спасались
В доме,
Который разрушил Джек.

А это веселая птица-синица,
Которая больше не веселится.
В доме,
Который разрушил Джек.

Вот кот,
Который пугается взрывов и плачет,
И не понимает, что все это значит,
В доме,
Который разрушил Джек.

Вот пес без хвоста,
Без глаз, головы, живота и хребта.
Возможно, в раю он увидит Христа
В доме,
Который разрушил Джек.

А это корова безрогая,
Мычит и мычит, горемыка убогая.
И каплями кровь с молоком на дорогу
К дому,
Который разрушил Джек.

Maria Remizova

This is the house
that Jack wrecked.
And these are the tenants who went to hide
In the dark basement and so survived
In the house
that Jack wrecked.

This is the merry titmouse
That flies no longer about the house,
The house
that Jack wrecked.

This is the cat
That cowers and whimpers and doesn't get
What's going on with the bombs and all that
In the house
That Jack wrecked.

This is the tailless dog,
Toothless, gutless, beheaded, declawed.
Maybe up in heaven it will meet God
In the house
That Jack wrecked.

This is the cow with the crumpled horn,
Mooing, its udder tattered and torn,
Dripping blood and milk in the morn
On the road to the house
That Jack wrecked.

А это старушка, седая и строгая,
Старушка не видит корову безрогую,
Не видит убитого пса без хвоста,
Не видит орущего дико кота,
Не видит умолкшую птицу синицу,
Не видит того, что в подвале творится
В доме,
Который разрушил Джек.

Она как-то криво припала к крыльцу.
И муха ползет у нее по лицу.

This is the old woman, sad and forlorn,
That can't see the cow with the crumpled horn,
Can't see the dead dog without tail and all that,
Can't see the mewling, hysterical cat,
Can't see the silent and motionless titmouse,
Can't see the mess in the basement of the house,
The house
That Jack wrecked.

She clings to the steps in an odd embrace,
A meat fly crawling across her face.

translated by Dmitri Manin

Анна Русс

Господи, какой ужасный сон
У меня был кореш – где же он?
Мы из запределья в коростополь
Вместе добирались автостопом

Были маки красные, весна
И была девчонка – где она?
Рыжая, веселая девчонка
Ты ее, пожалуйста, верни!
Были и другие – где они?

Автостопом прямиком до ада
Господи, кому все это надо
И при чем тут киевская русь?
Эти маки майского парада –

Можно я, пожалуйста, проснусь?

Боже, боже, кто из нас ку-ку?
Мы же все придумали на лето!
Долго ли планировалось э т о?
Прислонясь к какому косяку?

Почему со мной все это, боже?
Почему остался только я?
Если ты не вырулишь, то кто же?
Это на реальность не похоже

Anna Russ

God, dear God, what a horrendous dream
My old buddy – what's become of him?
I remember how we hitched a couple
Rides from zapopleasure to kostopple

It was spring; red poppies everywhere;
And that girl – what has become of her?
That red-headed girl was fun and funny
Please return her back just where she goes!
Other buddies – what's become of those?

We are hitching rides straight down to hell
My dear God, who wanted this, pray tell
What's all this about Kievan Rus?
Crazy poppies of parading armies –

Someone wake me up now, what the deuce!

God, which one of us has lost the plot?
We have all made plans for summer travel!
When did all of t h i s begin to ravel?
What sick mind would tie this twisted knot?

God, why did you pick me, what's your deal?
Why am I alone here, in the end?
If you can't, then who can take the wheel?
This does not at all look like it's real

Господи, я думал, мы друзья

Господи, я думал, ты за нас
Ехавших попуткой на парнас
За руки державшихся, зевавших
Братьями друг друга называвших
В красных маках раннею весной –

Стасик, Рита, Юка, Поля, Паша?
Что я знаю о победе павших

Господи, я думал, ты со мной.

God, I really thought you were a friend

God, I really thought you were on our side
Going to parnassus, hitching rides
Us together, yawning, holding hands
Calling one another brothers, friends
Springtime poppies blooming in a spree –

Stasik, Rita, Yuka, Polya, Pasha?
The slain won't tell me of their victory

God, I really thought you were with me.

translated by Anna Krushelnitskaya

Дана Сидерос

Песенка

как за вороновым полем на хуёвой горке
мышь полёвка дочкам шьет к платьицам оборки
юбки пышны платья жёлты иглы тонки юрки
будет свадьба хороша у меньшой дочурки

всю округу огласим писком воем рёвом
гости сядут песни петь в шесть рядов по рёбрам
светляки танцуют вальс марш гремят цикады
мы так рады видеть вас
рады рады рады

эх невеста весела и жених неробкий
молодые заживут в черепной коробке
больно хата хороша
будет место для мышат
вся поляна как в цветах
в ярких жёлтых лоскутах

трясогузки мчат на юг неизменным курсом
тише мыши я пою охнем и закусим
каплю маковой воды яблочком неспелым
посыпаем молодых
пеплом пеплом пеплом

Dana Sideros

A Folk Song

in the dickhill neighbourhood past the raven's landing
mother vole is sewing gowns for her daughter's wedding
quick and nimble needlework many skirts to alter
we will throw a splendid ball for our youngest daughter

we will chant on rib cage pews howling loud and scary
we'll be drinking poppy dew dancing making merry
every bug and every beast come along and have some
you are welcome to our feast
welcome welcome welcome

ah the bride is full of glee and the groom won't fail her
in the skull's main chamber will live the happy fam'ly
ain't the lodging mighty nice
lots of room for little mice
and like flowers on the ground
stripes of cloth are spread all round

wagtails hold their steady course heading for the south
it's my turn to sing the blues hush you little mouse
fill your cup and drink it up try the green crabapples
pouring o'er the married couple
ashes ashes ashes

translated by Andrei Burago

Оля Скорлупкина

А как взяли Любовь да выволокли на площадь
То ли вешать, то ли залить ей металлом глотку
Расплавленным, чтобы не возникала больше
Чтобы не милосердствовала, уродка

Дрянь, предательница, прошмандовка, стерва, доколе –
Всё в капканах знаков вопросов и восклицаний
Помолился о мире – готовься к вражде и боли
Потому что они всё врут и для них Отца нет

Есть открытки на праздники с ликами с комик сансом
И пасхальные краски со стразами и перламутром
Они красят яйца, они поправляют ранцы
И косички своим дочерям, а на другое утро
Те же пальцы печатают: «Переломать этой твари
Кривые тощие ноги»

(За слова о надежде на мир), и Любовь смеётся
Волокут, колбасит, трясёт, пританцовывает в дороге
Всё ей терпится, что ей ещё остаётся

Olya Skorlupkina

And they seized Love and dragged her out into the square
Maybe to hang her or maybe to pour metal down her throat
Molten metal so she would not put on her act anymore anywhere
So that she'd stop rambling about mercy, that stupid whore

The traitor, the bitch, what shall we do with her –
Every word is a snare between exclamation and question marks.
After a prayer for peace, be ready for blood and hurt,
For all they say is a lie and for them, there's no Father above.

They have holiday cards with saints, set in Comic Sans.
Easter cookies, snazzy and charming.
They colour eggs, they adjust backpacks
And braids on their daughters' hair; then the next morning
The same fingers type 'break her skinny and crooked legs'
(For her words about hope for peace)

And Love giggles in a small voice.
They drag her away, she shivers, breaks into dance, and shakes.
Love will endure all things. Does she really have a choice

translated by Andrei Burago

Татьяна Стамова

вздрогни – оборотнем
стала страна
мир – война
солнце бомба
бомба луна

вскрикни – нет,
проглоти, нельзя
ты – ЗА
ты всею душою ЗА

руки по швам – всё хрупко
мир – скорлупка

из которой до самого
до конца
будет выглядывать
половина птенца

Tatiana Stamova

you wince: the country
became a zombie
peace is war
the sun a bomb
each star a bomb

cry out – no,
forbidden by war
you vote 'for'
wholeheartedly 'for'

it's so fragile – stand to attention
the world is an eggshell

out of which
while the clock still ticks
will always peek
a half of a chick

translated by Dmitri Manin

Игорь Сухий

в банке консервной тесно бывает очень
если лежишь спиною к спине с другими
вот и настали снова красные ночи
вот и заглохли напрочь мнимые гимны
вот и лежим мы в банке в братской могиле
красные килька к кильке в томатном иле
если лежать на спине то увидишь небо
словно через аквариум в искривленном пространстве
помнишь ты так любила лепить из хлеба
рыбок слегка изогнутых словно в танце
помнишь ты так боялась любых метафор
слезы ты говорила удел эпифор
капала називин в глаза и съедала сахар
два или три кусочка да кто считал их
только теперь мы оба лежим бок о бок
в братской могиле в банке в томатном иле
знаешь я тут подумал а что есть время
время как ноль в математике позиционно
было ли время раньше в саду эдема
помнишь как плыли мы не спеша по дону
правый плавник вперёд поворот налево
помнишь как дети крошками нас кормили
что же теперь скажи нам с тобою делать
если мы оба в банке в томатном иле

Igor Sukhiy

it can be really crowded in a square tin can
if you lie there back to back among others
here come the red nights here they are again
it's the withering end of all the spurious anthems
here we are in a can in a mass sarcophagus
red sardines in the river slime in tomato sauce
when you lie on your back you can see the sky overhead
as if from a fish tank in a curvilinear space
remember you liked to mold little fish from bread
they were slightly curved as if doing a slow dance
remember how you shunned any metaphors
you used to say only epiphora justified tears
you dropped afrin into your eyes and ate the sugar
two or three cubes who'd ever bother to count
and what do you know now we lie side by side
in a communal grave in a can with tomato sauce
and i think of time what it is and where it's leading
like zero in maths it's a value based on the position
i wonder if time was there in the garden of eden
remember how we swam slow fish in the don
the right pectoral fin goes forward and you turn left
remember how kids would toss bread crumbs to us
tell me what we can do now is there anything left
if we're both here in the can in tomato sauce

translated by Dmitri Manin

Алексей Тарасов

Ножи

Опускается мгла, робкий свет потолком зажат.
В колыбельной стола нянчит нож семерых ножат.
Учит их:
– Луна отлита из столового серебра.
Нет ничего коварнее свиного ребра.
Каждая выщерблина да будет для вас уроком.
Живите не вдоль, а поперёк волокон.
Не ходите по краю, глупые игры бросьте –
Стоит упасть со стола, как приходят гости:
У Домового глаза черны, рога тверды,
Знает в любую комнату потайные ходы.
Копытами по кафелю цок-цок, цок-цок.
А у Кикиморы коготь железный, клюв алмазный,
Тащит в липкую тьму, в лес непролазный.
Чёрными перьями в форточку выр-выр, выр-выр.
Дети дрожат, длиннолицы и остроносы.
Не спят, задают Богу вопросы:
– Господи, наш Хозяин, ты точил и правил нас.
Господи, наш Хозяин, почему ты оставил нас?
Гладил по узким лбам, словно щенят.
Подарил нам веру – зачем же решил отнять?
Мы причащались кровью пальцев Твоих.
Ночами безлунными шептали имя Твоё.
Вгрызались зубами в кость во имя Тебя.
Наши голоса звенели гимнами о Тебе.
Мир в пыли и грязи, и некому взять метлу,
Остался заплесневелый хлеб, да подгнивший лук.
Страх пророс – прозрачный, колючий – костью щучьей.
Зажми нас в своём кулаке и направь, не мучай.

Alexey Tarasov

Knives

A meek light clings to the ceiling; the dusk is stifling.
In the crib of the drawer, the knife nurtures his seven knifelings.
He tells them: 'The moon's made of silver, the best sterling.
The wickedest thing is a pork rib, crooked and curling.
Learn from the chips that come off you, the jags that remain.
Live your lives not with the grain, but across the grain.
Don't live on the edge. No horseplay and jumping off heights:
You know a dropped knife invites unbid guests and bad fights.
Now, the Boogeyman's horns are hard, and his black eyes are
    canny.
He knows every secret door, every nook and cranny.
His hooves go click-clack on the floor tiles, click-click-clack.
The Swamp-witch has claws of steel and a diamond beak.
She'll steal you away to her woods, murky, sticky, and bleak.
Her black wings go swish in the window, swish-swish-swoosh.'
The babies shiver, thin, sharp-nosed, narrow-jawed.
Wide awake, they keep asking questions of God:
'Dear Lord, you did heat, hold and hit us to make us!
Dear Lord, we don't understand – why did you forsake us?
You did touch our low puppy brows, and you did caress them.
You've given your children faith, yet you no longer bless them!
We took the Eucharist from Your fingers red with the blood
    of You.
On moonless nights, we whispered in longing the name of You.
We cut our teeth on hard bone for the glory of You,
Our voices rang with praise in our hymns for You.
The world lies in filth; it needs mopping, which nobody will do.
All that's left are onions and bread slimy with rot and mildew.
Dread has sprouted a see-through fishbone of spiky slivers.
Do hold us fast in your fist, direct us, deliver us,

Подари благодать, избавь от дурного.
Омой сукровицей, сниспошли сырого, парного
Мяса. Телят. Ягнят. Поросят. Цыплят.

А хозяин – в чужой стороне, в бесславной войне, в горящей
 броне.
То, что было внутри него, стало теперь вовне.
Домовой языком шершавым нащупал душу.
Выр-выр
Кикимора клювом тащит её наружу.
Цок-цок
Звёзды плывут по кругу, хотя и нельзя им.
Он шепчет беззвучно: 'Господи, мой Хозяин...
Мой Хозяин, ты точил и правил меня...'

Bathe us in grace, give us Your gifts redeeming,
Wash us in ichor, grant us some naked, steaming
Meat. Of the lambs. Of the calves. Of the shoats. Of the chicks.'

But their master is in a foreign land, a burning tank, a war that's a
shame to tout.
What he used to have within him is now without.
The Boogeyman feels around with his rasp-like tongue, for his
soul to seek.
Swish-swoosh.
The Swamp-witch hungrily pecks at his soul with her pointy beak.
Click-clack.
Stars swim in a circle, in breach of the ban, of their own accord.
He mouths the words: 'God, my Master, my Lord...
My Lord, you did heat, hold and hit me to make me...'

translated by Anna Krushelnitskaya

Данил Файзов

мне снилась смерть
нет не моя
чужая
как пьяная пошатываясь
шла
тихонько напевая
что-то там

ей радовались взрослые и дети
по улицам
чего-то там чего-то там
за пазуху ссыпая сахар
гречку
машинный смех
и ласковый уют

ей птицы пели
ей росли деревья
ей просыпались зёрна
человечки
тревожно подходили
и просили
чего-то там чего-то там
чего-то там

во всём спокойствии
в обыденности всей
разлились вина страх
тоска и жалость
такое знание незнания текло

Danil Faizov

i dreamed of death
not mine
but someone else's
it reeled and staggered like a drunken
man
and hummed some tune
or other

grownups and children greeted it
out in the streets
some this-or-that some this-or-that
and down their shirt breasts they poured sugar
kasha
machinic laughter
and tender cosiness

birds chirped for death
trees grew for death
seeds awoke for death
little people
came apprehensively
and asked
some this-or-that some this-or-that
some this-or-that

all the surrounding calm
and everyday routine
were permeated with guilt fear
anguish and compassion
and flowed with a known unknowing

меня спросили
сможете всё это
запомнить и быть может
описать
я оглянулся и ответил
не смогу

подкинуть в воздух
и глядеть как полетит
нет не смогу
не буду и стараться
как будто это весело
уснуть

я только знаю
это всё чего-то там
со мною навсегда сосуществует
всем мною слышится
да даже и потом
чего-то там чего-то там
проснуться

чего-то там чего-то там
чего-то там

they asked me if
i could remember all this
and then perhaps
describe it
i turned to them and answered
that I couldn't

to toss it up into the air
and see it fly
no i couldn't
i wouldn't even try
as if it were such fun to
fall asleep

i only know
that all of this-or-that
forever coexists with me
is being heard by my entire self
and even afterwards
some this-or-that some this-or-that
to come awake

some this-or-that some this-or-that
some this-or-that

translated by Dmitri Manin

Юля Фридман

Когда мы освободили Украину от нацистов,
Финляндию от собакоголовых, Польшу от марсиан,
Земля зацвела кокаиновым цветом душистым
И каждый танкист был магическим воздухом пьян.

В Литве окопались улитки с планетной системы
Холодной и красной звезды ипсилон Андромеды:
Скрывались на листьях салата и прочих растений,
Пришлось разбомбить все в лепешку, ведь выхода нету,

Эстонию тоже снесли с политической карты,
Поскольку в ней подняли головы ихтиозавры,
Адепты кровавого культа богини Астарты,
Приплывшие к нам по орбите от альфа Центавры.

И в Латвии мы не оставили признаков жизни,
А что было делать, ведь Запад нам выкрутил руки:
Он там расплодил вредоносно микроорганизмы,
Согласно сигналам экспертов от криптонауки.

И вот все народы свободны, нам пишут из рая,
И звери, и птицы, и разные меньшие твари,
Москва простирается в мире от края до края,
От смерча до смерча песчаного в Новой Сахаре.

Yulia Fridman

When we had liberated Ukraine from the Nazis,
Poland from Martians, Finland from dog-headed men,
the Earth sprouted fragrant cocaine-smelling blossoms,
and our tankmen got high on their magical scent.

Lithuania became a hotbed for galactic snails
from Epsilon of Andromeda, that cold crimson star;
they hid among salad greens and other plants,
we bombed it flat – no choice but go that far.

We were compelled to raze Estonia from the map,
since the ichthyosaurs took over step by step,
they arrived from Alfa Centaurus, on an orbital lap,
all of them devotees of Astarte's gory sect.

In Latvia too, we destroyed all signs of life,
we had no choice – the West forced our hand!
It propagated noxious microbes there,
as the crypto-science gurus let us understand.

Now all nations are free, they write us from Eden,
and all sundry creatures, both furred and feathered –
and Moscow extends from horizon to distant horizon,
from sandstorm to sandstorm in the new global desert.

translated by Maria Bloshteyn

Новая эпоха для нас с тобой,
Учителя истории уходят в запой,
Женщины ищут в списках мертвые имена,
Слово 'нет' и слово 'война'
Запрещены к употреблению
По законам военного положения.

Но учитель риторики, с утра зашедший за водкой,
Уверяет нас, что эпоха будет короткой,
Смотрит в даль, рассуждая о том,
Завершится она табакеркой или шарфом,
Или ядерный гриб направит удар заката –
И с тоской упирается взглядом в стекло стакана.

Сна ни в одном глазу, светло здесь или темно,
На той стороне зрачка гуляют огни пожара,
Хотя взрывов в Москве давно уже не бывало,
Разве только закат опять стучится в окно,
Знаешь, как хозяйка сегодня ждала гостей,
Семья из Харькова, мама, папа и малыши,
Накрывала на стол, ей звонят, говорят: не спеши,
Их накрыло огнем — и так странно стоять в пустоте.

This is a new era for us to be living in,
History teachers drink themselves to oblivion,
Women pour through rolls of dead names,
The words 'no' and 'war' these days
Are forbidden from circulation
Under the wartime regulations.

But the teacher of rhetoric who bought his booze before noon
Assures us that this era will end rather soon,
His gaze fixed somewhere in the distance, he discusses
The possibility that it'll end with a scarf or a snuff-box,
Or that the nuclear mushroom will aim the sunset's blast,
And his blank stare falls into the empty glass.

I can't sleep a wink, be it daylight or darkness,
On the other side of the iris fire rages wild,
Though there've been no explosions in Moscow for a while,
Save for the sunset knocking again on the glass.
You know, today the woman expected guests,
A Kharkiv family, mom, dad and a little son,
She's just served the table, and the phone rings: hold on,
They were caught in gunfire – and she stands in this eerie
emptiness.

translated by Dmitri Manin

– Мушкетеры, мама! Четверо мушкетеров,
Не задевая выщерблин, выезжают на площадь!
У Портоса рукав блестящий, а плащ потертый,
У д'Артаньяна желтая лошадь,

Бледен, как смерть, Атос – наверное, ранен,
Думаю, что рука его холодна,
Арамис, ясный, как месяц, плывет дворами...
– Маленький, отойди от окна.

– Если я отойду, мама, то не увижу,
Как на лезвие белой птицей садится луч,
Как на мостовой вздрагивает булыжник,
Как взлетает шпага, похожая на иглу!

– Мальчик, здесь не Париж, отходи, пока цел,
Разобьется стекло, когда начнется обстрел,
Спрячемся в ванной, нет, лучше пойдем в подвал,
Ты еще мал и ни разу не умирал.

Мальчик, жалея маму, дает ей руку,
Задевает в низких проемах притолоку головой
(Мама очень спешит), удар его сносит в угол,
Голос сирены тусклый и неживой.

Стекло разбито, но осколки не долетели,
Щебень и стеклянная крошка в постели,
Звуковая аппаратура разбита в хлам,
Мушкетеры смотрят и видят: кругом бедлам.

– Мор, – говорит всадник, белый, как полотно, –
Как там мальчишка? — Подбрось в амбар хлеба, Глад, –
Улыбается Мор. – Не командуй, чай, не парад, –
Говорит Война, заглядывая в окно.

'Musketeers, mommy! The Four Musketeers
Gliding over the potholed avenue, riding forth!
Porthos' cape is worn, but his buff sleeve shimmers,
D'Artagnan mounted on his yellow horse;

Athos, as pale as death, looks like he's hurt,
I think I can feel the cold of his hand,
And Aramis, clear as the moon, floats over the courtyard...'
'Step back from the window, my dear, you understand?'

'Mom, but if I stay back, how will I see
The ray that alights on the blade like a snowy bird,
The rapier, like a needle, swinging up rapidly,
The pavement where a cobblestone suddenly stirs!'

'Dear boy, it's not Paris, step back while alive and well,
The glass will shatter when they begin to shell,
Hide in the bathroom – no, the shelter's a better bet –
You're too young, you've never died, not yet.'

The boy feels sorry for mom, takes her by the hand,
On their way he knocks his head on a low lintel
(Mom's in a hurry); blown off his feet by the blast, he lands
In the corner. The sirens wail blandly and dwindle.

The shell splinters fall short, but the room is a disaster,
The bed is covered deep in glass and plaster,
The sound system is smashed to smithereens,
The Musketeers survey the godawful scene.

'Plague,' says the rider whose face is as pale as snow,
'How's the boy doing?' Plague smiles, 'Famine, will ya toss
Some bread in the granary?' 'You're not on parade, don't boss
Us around,' War says, peering through the window.

translated by Dmitri Manin

Аля Хайтлина (Кудряшева)

Четвёртый день

Человеку внутри меня двадцать пять недель,
Двадцать пять недель я и хлеб ему, и постель.
И когда я сейчас рыдаю или кричу,
То чему я его учу?

Человеку внутри метро вот уже три дня,
Он не знает света, но знает запах огня.
Он лежит на полу, на пледике, а вокруг
Столько глаз и рук.

Человеку в убежище стало недавно пять,
Он уже научился в нужный момент молчать
И не ныть 'мама, мультик' и 'это не та еда',
Дети быстро учатся, да.

Мне плевать, сколько лет человеку внутри кремля,
Но тотчас же должна расступиться под ним земля,
И в том месте, где это, надеюсь, произойдёт,
Ни один росток не взойдёт.

Пусть слюна его станет мылом, а кровь дерьмом,
На надгробье его напишут 'и поделом',
Ну, а дети – пусть дети снова сумеют ныть,
Это будет конец войны.

Alja Khajtlina

Day Four

Someone who lives inside me is twenty-five weeks.
For twenty-five weeks I've been his bread and bed sheets.
And if I'm now sobbing or screeching,
What do I teach him?

Someone inside the subway has turned three days old.
He knows no daylight, but he knows fire and cold.
He lies on a little wool blanket, surrounded by
So many hands and eyes.

Someone stuck in the bomb shelter has just turned five.
He's already learned to stay silent to stay alive,
Not to whine 'Mommy, toons' or 'don' wanna eat that.'
Children learn fast.

I don't give a damn how old the kremlin man is,
But the ground must split and swallow him right where he stands,
And on the spot where this happens, I have no doubt,
Nothing green will sprout.

His spit shall foam, and his blood shall turn into shit,
And on his grave 'Serves him right' shall be writ,
And the kids – let the kids learn to whine again.
Thus the war will end.

translated by Dmitri Manin

Девяносто второй день: сирень

Когда спасение не в чести,
К молитвам беда глуха,
Как смеет эта сирень цвести
И дивно благоухать?

Как может колос тянуться вверх,
Клубника краснеть и зреть,
Когда на охоту выходит зверь
Несущий тоску и смерть?

Он крутит пастью, рычит и рвёт,
Жестоки его клыки,
Так как же сиреневый небосвод,
И белые мотыльки?

Какое лето, ты что, окстись,
Весну бы прожить живой,
Рябина, зачем тебе эта кисть,
Наряд её кружевной.

Но тень улитки ползёт-ползёт,
Пока не придёт в траву,
И жук-навозник свой шар везёт,
И значит, и я живу.

И ты живёшь, и она живёт,
И зверю победы нет,
Пока сиреневый дух зовёт,
Прозрачный горячий свет.

Как смеет эта сирень цвести,
Ведь в мире идёт война.
Прости её. И себя прости,
Что живы ты и она.

Day Ninety-two: Lilacs

When salvation is not the word of the day,
And disaster is deaf to prayers,
How dare lilacs blossom away
And spread their lovely fragrance?

How can burdock unfurl its leaf
And cherries blush in the tree,
When the beast who spreads devastation and grief
Comes out on his hunting spree?

Fangs dripping, he prowls, all roar and hiss,
Rolling his bloodshot eyes.
But then, what about the morning mists
And fluttering butterflies?

Summer? What summer? Can't you just see,
It's about surviving the spring.
Why all these flowers, my rowan tree,
What's the point of your lacy bling?

But the snail's slow shadow still crawls, still crawls,
With its unstoppable drive,
And the dung beetle stubbornly rolls its ball,
And this means that I'm alive.

And you are alive, and he is, and she is,
And the beast will never win,
As long as the spirit of lilacs breathes,
And hot shimmering light pours in.

How dare the lilac bush bloom and smell
When the war out there won't quit.
Forgive it. And also forgive yourself
For being alive with it.

translated by Dmitri Manin

Борис Херсонский

Сколько нас, непрошеных! Не прокормишь ораву
беглецов или беженцев – называйте нас как угодно.
Враг хитер и коварен. На него не найдешь управу.
Так бывает, что место пусто, но не свободно.
Человек ищет, где лучше. Одевается модно,
но пляжную гальку не вставишь в золотую оправу.
Пилат осуждает Христа, освобождая Варраву.

Корабль правосудия не сворачивает с курса
осуждения правды и оправдания злобы.
В стране уродов не ищут правды, важны ресурсы.
Не свяжешь ее законом, не насытишь ее утробы.
Земля распахана – но изгнаны хлеборобы.
Учат чужие наречия. говорят коряво, с акцентом.
Забывают слова. копейку путают с евроцентом.

Мы размазаны, мы разбросаны по городам Европы.
Города прекрасны, но их не строили наши предки.
Там, где нас нет – летают снаряды, юноши роют окопы,
нежные девы плетут камуфляжные сетки,
в подвалах, скорчившись, сидят мои однолетки.
Ветер войны срывает людей, как осенние листья – с ветки.
вот, по вокзалам и станциям ожидают отправки,
вздрагивают, услышав речь родную с соседней лавки.

Borys Khersonskyi

Look at our multitudes! Who could provide for us –
escapees, refugees, call us what you will.
There's no recourse – the foe is too treacherous.
Any vacuum's abhorrent, but not all can be filled.
Man seeks greener pastures. He dresses to kill,
but a pebble set in gold never pleases.
Pilate freed Barrabas and condemned Jesus.

Their ship of justice won't stray off course –
it condemns truth and justifies hatred.
Their country doesn't want truth but resources.
Laws won't bind it and nothing will sate it.
Our land has been ploughed, but the farmers are exiled.
They cram foreign tongues, mangle accents,
forget words, confuse kopeks with eurocents.

We've been strewn through the cities of Europe.
The cities delight, but within them we're strangers.
Back home, missiles are flying nonstop,
girls weave camouflage, young men dig trenches,
while down in the basements huddles my generation.
Winds of war tear us like leaves off our branches,
so we wait our turn at the train and bus stations,
startling when someone nearby speaks our language.

Там, где нас нет, остались старые фотоальбомы,
хранилища лиц поблекших забытых и незабвенных.
Вокзалы покуда целы, но разрушены аэродромы.
Сгибаясь, уже не видишь, сколько вокруг согбенных.
Не успевают могильщики хоронить убиенных.
Вой сирены выводит из состояния дремы.
Бегство – болезнь – известны ее симптомы.

Нет беженца без ностальгии. нет странника без надлома.
Не имеют призраки тени. Наши тени остались дома.

Back where we're not, lie our old photo albums,
holding faces forgotten and others forever beloved.
The trains are still running, the airports are lying in shambles.
Stooping, you can't see how many are stooped all about.
The bodies keep piling, the gravediggers cannot keep up.
The howl of the sirens shakes us out of our daze.
All know the symptoms of fleeing – it's a common malaise.

Refugees carry pain and nostalgia wherever they roam.
Ghosts don't have shadows. Our shadows stayed home.

translated by Maria Bloshteyn

Майя Цесарская

Сестра Немилосердия

Сестра Немилосердия
носится по палате
в заляпанном чем-то
бурым халате
взад-вперёд, взад-вперёд,
выдёргивая
– хватит,
хватит, орёт
нате, орёт, нате!
Ор-ги-я –
Сестра Немилосердия
из левого предсердия
целится в правое
всё тут не по нраву ей
действует на нервы
что, усрались?
ну, говорит
кто первый?
кому тут плохо?
пузырёк с отравою
встряхивая
это я-то неряха вам
я неумёха!?

2021

Maja Ceszárszkaja

The Sister of Nomercy

The Sister of Nomercy
darts around the ward
in her lab coat
splattered with brown dirt
forward, backward, away, toward,
ripping, prying –
no more, no,
no, screaming
go, screaming, more, go!
It's – a – riot! –
The Sister of Nomercy
aims from the left atrium
at the right atrium
infuriated
stares around with hatred
crapping your pants, aren't ya?
right, she says, who's the first
to be nursed?
shaking the arsenic bottle
cursing
who called me a clumsy mumsy a dirty gertie
a rotten nursie?!

2021

translated by Anna Krushelnitskaya

Сергей Шестаков

я попал в полевой госпиталь
живой
с уцелевшей левой ногой
целиком
от стопы до бедра
она лежала передо мной
метрах в шести
санитар не смог её унести
пусто
видно такая пора
маму окликнешь господа ль
не отзовётся никто

только белый человек
порхал надо мной как снег
снег
снег
снег
доктор умер вчера

все погибли и сад
сад мой погиб мой сад
как он цвёл как сиял
шмель гудел
мама в синей косынке рукой заслонялась от солнца

как давно это было
давно это было
это было
было
Как

Serge Shestakov

I fetched up in a field hospital
alive
my left leg had survived
intact
from sole to hip
and there it was just lying about
six metres off or maybe five
the porter couldn't carry it out
left here
we've clearly reached the time
when gentlemen you can cry for your mum
and no one will come

only the white man showed
above me like a swirl of snow
snow
snow
snow
yesterday the doctor died

they've all been killed and the garden
the garden's been killed my garden
how it blossomed how it beamed
a bumblebee buzzed
and mum in a blue kerchief held her hand up
a screen against the sun

so long ago it was
long ago it was
it was
was
so

translated by Richard Coombes

Вита Штивельман

Давид

Мой дед Давид погиб в сорок втором.
Он был сапёром – адова работа.
Могилы нет, не сохранился дом.
Погиб, отвоевав чуть больше года.

Жена и дочь остались, бог помог.
Хотя Давид не уповал на бога.
Он защищал от запада восток –
тогда не приходила смерть с востока.

А бабка умерла не так давно,
прожив почти сто лет. И дозу яда
хранила у себя: а вдруг войной
опять всё рухнет. Чтобы Сталинграда

не видеть больше. Бабка медсестрой
работала тогда. В её кошмарах
навечно поселились кровь и гной,
тела убитых, молодых и старых.

Я вижу бабку иногда во сне,
мы разговариваем с ней, чуть слышно.
А наяву – есть фото на стене,
военный орден, орденская книжка.

На фото выцветшем, как сквозь туман,
дед с бабушкой – живые, молодые.
Тарутино, Петровка, Аккерман –
вот это были их места родные.

Vita Shtivelman

David

My grandpa David was killed in '42.
He had a hellish job – a sapper in the field.
There is no grave, the house is gone.
He fought a year, then he was felled.

His wife and daughter made it, with God's help.
Though faith in God was beyond grandpa's ken.
He fell as he defended East from West –
death came from the west back then.

Not long ago, my grandma died as well,
almost a hundred. In her room she had
some poison in case war broke out,
shattering all. Another Stalingrad

she couldn't bear to see. She was a nurse
back then. Her nightmares to the last
were full of bodies, young and old,
streaming with blood and pus.

I see my grandma in my dreams sometimes,
we talk, our voices barely audible.
Awake, I've got my grandpa's medal left,
some papers, and a photo on the wall –

a faded, hazy photograph, from which
my young and lively grandparents look on.
Tarutyne, Petrivka, Akkerman –
those were the places they called home.

По тем краям сегодня град ракет,
как в сорок первом, как же всё похоже.
Я рада, что не видит это дед.
Что бабки нет в живых, я рада тоже.

Now, rockets hail down on those parts again,
just like in '41.
I'm glad that grandpa David's not around
to see it. And that grandma's gone.

translated by Maria Bloshteyn

Татьяна Щербина

В супермаркете на полу рассыпаны зеленые стручки фасоли
подумала, что это разбилось чье-то сердце
прямо у кассы, когда надо было заплатить,
и значит, сердце это было зеленым от злости
на кровопийцу,
а, может, и на кассира.

Tatiana Shcherbina

There are green bean pods scattered on the supermarket floor
struck me that it was someone's heart had ruptured
right at the checkout, when they'd had to pay,
meaning the heart was green with anger
at the bloodsucker,
or maybe, yes, at the cashier.

translated by Richard Coombes

Заснула, положив под щеку ладонь,
проснулась оттого,
что резко отдернула руку,
будто это рука врага.

1 March 2014

I fell asleep with my palm tucked under my cheek,
woke up when
I yanked my hand away,
like it was the hand of an enemy.

1 March 2014

translated by Richard Coombes

Державчина разъела
Отечества движок.
Чтоб не стоять без дела,
мы делаем прыжок.
Летим над Украиной
и падаем в окоп
с турецкой старой миной.
Американский гроб
ждет в карауле чинном.
Войдя в предсмертный раж,
на небе пишем дымом:
«Крым, наконец-то, наш!».
Как жалко погорелый
театр-теремок,
развеян сладкий, спелый
Отечества дымок.

Tsar-rust has eaten through
the Fatherland's power train.
For want of something to do
we've leaped beyond the line
and flown across Ukraine
to the trenches, tumbling down
with an ancient Turkish mine.
A box of American pine
stands ceremoniously by.
In death-throes rage we scribble
smoke words across the sky:
'At last Crimea is ours!'
Oh, but the theatre's rubble,
burned the fabled tower,
and sweet enough to choke
us once, now scattered and gone,
the Fatherland's plume of smoke.

translated by Richard Coombes

Михайло Юдовський

Меня бомбят издалека,
хотя вокруг покой –
молчит земля, молчит река
и небо над рекой.

Часы, недели и века
как будто скрылись в щель.
Меня бомбят издалека,
но попадают в цель.

По телу пробегает ток,
и видится с трудом
немецкий тихий городок,
похожий на фантом.

Друзья, нас поперек и вдоль
одна связала нить.
Но боль мою и вашу боль
не смею я сравнить.

Вдали от собственной страны
я ощущаю смесь
бессилья, гнева и вины
за то, что я не здесь –

не в Украине, чья броня
собой закрыла свет,
а там, где, кажется, меня
уже в помине нет.

Mykhailo Yudovskyi

They bomb me from afar, although
here, all is quiet and still:
the silent stream, the silent grove,
the sky above the hill.

It seems as if year, week and hour
crouch in a catacomb.
And though they bomb me from afar,
each strike is hitting home.

A shock of electricity –
I feel as if I'm lost,
and this quiet town in Germany
looks almost like a ghost.

Between us, friends, through hill and plain
runs a connecting line.
But I dare not compare your pain,
your dreadful pain, with mine.

Because I live in foreign lands,
I feel, day after day,
a mix of guilt, powerlessness, angst
for being far away

from my Ukraine whose armour lets
the whole world carry on,
while where I live, I'm but a guest
who might as well be gone.

И мысли только об одном,
хоть мозг до дыр сотри.
И слышен взрыв – не за окном,
а где-то там, внутри.

Но, может, я еще сгожусь,
я всё еще стерплю...
Я восхищаюсь. Я горжусь.
Я плачу. Я люблю.

Страна, не рви со мною нить,
пока я боль ращу.
Прости меня. И – может быть –
я сам себя прощу.

And all the time the same, same thought
bores tunnels in my mind.
And I can hear blasts rumbling – not
in town, but deep inside.

But I'll be useful, I'll pull through
to help you... I believe,
admire you and take pride in you.
I love you. And I grieve.

Please do not break my lifeline to
you, while I grow my pain.
I may forgive myself, if you
forgive me, my Ukraine.

translated by Dmitri Manin

Юрий Якобсон

Танец

В этот день с утра
Очень хотелось потанцевать
Но пришла мама
И сказала что я птица
Потому что она стала птицей очень давно
А значит если хочется полететь
То нужно просто позвать маму
В детстве я как и многие летал во сне
Но сон закончился
И хотелось только потанцевать
Но пришла мама
И мы полетели вместе танцуя в полёте
И долетели до города Запорожье

Мы долетели до города Запорожье
Мы долго танцевали в пути
Над городами Красноярск Нижний Новгород Мариуполь
Нас встретили много шпилей
Вода и земля
Там тоже были вода и земля
И тогда я понял
Что можно танцевать дальше
Потому что мама так же далеко
Как и Запорожье

Yuriy Yakobson

The Dance

That day in the morning
I really felt like dancing
But mama came
She told me I was a bird
Because she had turned into a bird a long long time ago
So when I feel like flying
All I need to do is call mama
When I was a child I used to fly in my dreams like many
But the dream was over
All I felt like was dancing
But mama came
And we flew together dancing in flight
And we flew to the city of Zaporizhzhia

We flew to the city of Zaporizhzhia
We danced a long time on the way
Over the cities of Krasnoyarsk Nizhniy
Novgorod Mariupol
We were greeted by many spires
Water and earth
They also had water and earth
And then I knew
That I could dance further
Because mama was as far away
As Zaporizhzhia

Как и Запорожье
Танцы были так же далеко
Достаточно просто включить телефон
И открыть любые новости
И танцев больше не будет
Как и мамы
И птиц
В этот день с утра

As Zaporizhzhia
Dancing was as far away
All I need to do is turn on my phone
Click on any news
And there'll be no more dancing
Or mama
Or birds
This day in the morning

translated by Anna Krushelnitskaya

Санджар Янышев

Если не можете убить войну, идите на улицы и в автозаки.
Если страшно туда, идите в соцсети.
Если страшно в соцсетях, говорите своим детям.
Если страшно говорить – молчите, молчание будет
                                    услышано (хотя бы одним человеком).
Если страшно молчать, думайте: мысли тоже оказывают
                                                            воздействие.
Если страшно думать – сойдите, наконец, с ума.
Потеряв ум, сохраните, по меньшей мере, душу.
Вас обманули, сказав, что она бессмертна.

Sandzhar Yanyshev

If you can't kill the war, get out in the streets and into paddy wagons.
If you're scared of them, get on social networks.
If you're scared of social networks, talk to your kids.
If you're scared to talk, keep quiet, and your silence will be heard
                                             (by one person, at least).
If you're scared of silence, think: thoughts make a difference too.
If you're scared to think, well then go out of your mind.
You'll lose your mind, but at least you'll keep your soul.
Whoever told you it's immortal, lied to you.

translated by Dmitri Manin

The Poets

Mikhail Aizenberg (b. 1948) is a Moscow poet and essayist. His writings were not published during the Soviet period. In post-Soviet Russia, he published five books of poetry and two books of essays on contemporary Russian poetry; he was the recipient of the Andrey Bely Prize in 2003 and is one of the best-known and most influential modern Russian poets.

Olga Andreeva (b. 1963) is a Ukrainian-born poet who lives in Russia. She is the author of seven verse collections and multiple journal publications, and has received several prestigious awards, including 'The 45th Parallel.'

Assia Anistratenko (b. 1975) is an Irkutsk-born poet, editor, translator and singer-songwriter who grew up in Novosibirsk. She is the author of three books and multiple journal publications. After the invasion of Ukraine, she left Moscow and is now living in Israel.

Polina Barskova (b. 1976) is a Leningrad-born poet and scholar, the recipient of multiple awards. She is the author of several verse collections and books on the Siege of Leningrad. She teaches Russian literature at the University of California, Berkeley.

Lena Berson (b. 1968) is a widely-published Omsk-born poet and journalist. She moved to Israel from Moscow in 1999 and works as a news editor. She is the recipient of a number of literary prizes and awards.

Alla Bossart (b. 1949) is a widely-known Moscow journalist, poet, playwright, and novelist. She has written three acclaimed novels and five volumes of short stories and journalism. She lives in Israel.

Maria Boteva (b. 1980) is the award-winning author of several acclaimed books of prose, including children's books, and verse collections. She was born in Kirov where she lived and worked as a journalist until recently. In August of this year, she moved to Riga.

Ksenia Buksha (b. 1983) is a Leningrad-born poet and writer. She has published several books, some of which have received prestigious literary prizes including the National Bestseller Prize. She left Russia for Montenegro with her four children after the invasion of Ukraine.

Dmitry Vedenyapin (b. 1959) is a Moscow-born poet and writer. His works were published only outside the USSR but, after the collapse of the USSR, he became known as one of Russia's most influential writers and translators, author of six books, and the recipient of prestigious awards, including the Moskovskii Schet and Memorial Brodsky Prize. He left Russia after the invasion of Ukraine and is now living in Paris.

Olga Vinogradova (b. 1986) is a Moscow-born and based poet, journalist, and a researcher of underground Soviet literature and of Soviet Yiddish literature. She has taught at the Higher School of Economics University in Moscow and is currently involved in educational projects for children. She is the author of a book of poems *Tsena deleniya*.

Tatiana Voltskaya (b. 1960) is a Leningrad-born poet and journalist. She works as a freelance correspondent for Radio Liberty, is the author of eleven collections of poetry, and the winner of several prestigious awards, including the *Interpoezia Magazine* award and Pyotr Weil Free Russian Journalism Scholarship. She has left Russia after the invasion of Ukraine, and currently lives in Tbilisi.

Anna Halberstadt (b. 1949) was born and raised in Vilnius, Lithuania, and trained as a psychologist in Moscow and the US. She is a trilingual award-winning poet who has authored two books of verse in Russian and two in English, as well as a prolific and award-winning translator from and into Russian, English and Lithuanian. She lives in New York.

Vladimir Gandelsman (b. 1948) is one of the best known and most celebrated contemporary Russophone poets and translators. Born in Leningrad and unpublished during the Soviet era, he emigrated to the USA in 1990 and has since authored many books of poetry and received multiple prestigious international awards. He lives in New York.

Andrey Grishaev (b. 1978) was born in Leningrad and trained as a computer engineer but discovered poetry and pursued a graduate degree in literature. He has published several verse collections and is the recipient of prestigious literary prizes, including those awarded by *Novy Mir* and *Znamya*. He is considered to be one of the most distinctive poetic voices of contemporary Russia. He lives in Moscow.

Vadim Groisman (b. 1963) has authored ten books of poetry and is the winner of several prestigious literary prizes, including *Emigrantskaya Lira*. He was born in Kyiv and emigrated to Israel in 1990, where he works as a librarian.

Mikhail Gronas (b. 1970) is one of the best known and most influential poets of his generation, whose two books made an enormous impact on 21st century Russian poetry. He is also a celebrated scholar and translator. He has received many awards for his work, including the Andrei Bely prize. He was born in Tashkent, and studied literature and culture in Moscow and the US. He is currently an Associate Professor at Dartmouth college.

Yulii Gugolev (b. 1964) is a poet and translator who grew up and lives in Moscow. He worked as an emergency physician before Perestroika and then became a TV anchor and translator. He is the author of several acclaimed poetry books and the recipient of major awards, including the Moskovskii Schet prize.

Olga Gulyaeva (b. 1972) is the author of two books of poetry. She was born in Yeniseysk, studied and worked as a journalist in Krasnoyarsk, and later became a psychologist.

Ivan Davydov (b. 1975) was born in Yermish, Ryazan region, and is an acclaimed political scientist, journalist, blogger, editor and columnist of several major newspapers and magazines (he was the deputy editor-in-chief at *The New Times*), as well as the author of several poetry collections.

Olga Dernova (b. 1979) is a poet and a bibliographer who was born and lives in Moscow. She has written two collections of poetry.

Nadya Delaland (b. 1977) is one of the most prominent poets and feminist activists in today's Russia. She was born in Rostov-on-Don and lives in Moscow. She works as an art therapist, has published fourteen books of poetry, and also writes novels, journalism and biography.

Alexander Delfinov (b. 1971) is a poet, an award-winning performance artist (he won top place in a number of international poetry slams), a journalist, and social activist who was born in Moscow and has been living and performing in Germany since 2001.

Oleg Dozmorov (b. 1974) is the author of several collections of poetry and the recipient of a number of prestigious prizes for poetry. He was born in Yekaterinburg, studied journalism, then worked odd jobs and participated in Ural literary life. He moved to Moscow and then to London, where he lives now.

Vladimir Druk (b. 1957) is an acclaimed conceptual poet, inventor, and technology expert. He was the founder and director of the Institute of Virtual Realities, and one of the founding members of the Moscow Club *Poeziya* during Perestroika. He has written many books, and his work has been translated into fifteen languages. He now lives in New York, where he moved in 1994.

Valery Dymshitz (b. 1959) is a Leningrad-born poet, translator, scientist, and scholar of Yiddish culture. He is the author of many acclaimed books. He lives in St. Petersburg.

Irina Evsa (b. 1956) is a Ukrainian poet who writes in Russian. She is the author of twenty collections of poetry, and the recipient of several international awards. Her poems have been translated into a number of languages. Before Russia's invasion of Ukraine, she lived in Kharkiv; at the beginning of March 2022, she left for Germany.

Vadim Zhuk (b. 1947) is a prominent poet, a well-known actor, and a broadcaster and screenwriter. He was born in Leningrad. He is the writer for, and the director of, the Leningrad-Petersburg theater-studio Chetvertaya Stena. He has authored ten books of poetry.

Christine Zeytounian-Beloüs (b. 1960) is an acclaimed artist, illustrator, poet, and translator of more than seventy books from French into Russian. She was born in Moscow and grew up in France, where her family moved in 1966. She is the recipient of several prestigious international prizes. She lives in Paris.

Gali-Dana Singer (b. 1962) is an award-winning poet, translator, publisher, artist, and photographer. She is the author of several books of poetry in Russian and Hebrew. Born in Leningrad, she lived there and in Riga, and moved to Jerusalem in 1998.

Olga Zondberg (b. 1972) is the author of several collections of poetry and short stories, and the recipient of the Teneta Internet Award for Literary Criticism. She lives in Moscow.

Igor Irteniev (b. 1947) is an acclaimed opposition journalist and publisher. Master of irony and satire, he is the author of twenty books of poetry, and the recipient of multiple awards. Since the annexation of Crimea, he has lived in Israel.

Galina Itskovich (b. 1964) is a poet and translator, and the recipient of several poetry awards. She was born in Odesa, moved to the US in 1991, and now lives in New York, where she works as a psychotherapist. She is deeply involved in providing aid and support for civilians and supporting specialists in Ukraine.

Alexandr Kabanov (b. 1968) is the author of nine books of poetry and numerous publications in major Russian literary journals. He has been awarded a number of prestigious literary prizes, among them the *Novy Mir* Literary Magazine Award for the best poetry publication of the year. He was born in Kherson and lives in Kyiv.

Ksenia Kazantseva (b. 1981) is a Moscow-based poet, composer, music editor, and copywriter.

Kseniya Kirillova (b. 1984) is a poet and journalist from the city of Kamensk-Uralsky, Sverdlovsk region. She moved to the US in 2014, where she works as a political analyst and an expert on Russian propaganda. She lives in San Francisco.

Eugene Kluev (b. 1954) is a poet and translator, as well as a scholar of linguistic pragmatics. He is the author of several novels and collections of prose and verse, and has also produced translations and three linguistics textbooks. Originally from Tver, he moved to Denmark in 1996.

Dmitry Kolomensky (b. 1972) is a poet, songwriter, and musician. Originally from Gatchina, he lived in Saint-Petersburg and was the editor-in-chief of the national server Stihi.ru. In April 2022, he emigrated to Israel.

Nina Kossman (b. 1959) is a poet, translator, publisher, and artist. She is the author of nine books of poetry and prose, and the recipient of several awards and fellowships. She was born in Moscow and left the USSR in 1972; she lives in New York.

Lena Kraitsberg (b. 1976) is a poet and writer. She was born in Chişinău, Moldova, and emigrated to Israel in 1992.

Sergei Kruglov (b. 1966) is a poet, journalist, and priest. He is the author of multiple verse collections, and the recipient of many awards for his experimental postmodernist poetry. He serves as an Orthodox priest in Minusinsk, Siberia.

Anna Krushelnitskaya (b. 1975) is a poet, writer, blogger, and translator. Born in the Far East, she grew up in Chita, and moved to the US in 2004. She is the author of two collections of poems in English and a 700-page bilingual interview collection, *Cold War Casual.*

Alexander Lanin (b. 1976) is a poet born in St. Petersburg, Russia. He is the recipient of several major awards for poetry including Emigrantskaya Lira. He lives in Frankfurt, Germany.

Olga Levskaya (b. 1974) is a poet, editor, artist, and illustrator. Born in Uzhur, Krasnoyarsk region, she teaches English at the Federal University of Siberia.

Sergei Leibgrad (b. 1962) is a widely published poet and essayist, a performance artist, and the founder and manager of poetry festivals. He worked as a radio host in Samara and left for Israel after the onset of the war.

Herman Lukomnikov (Bonifatsy) (b. 1962) is a minimalist poet and a palindromist. He is also one of the best-known Russian children's poets, a performance artist, actor, blogger, publisher, and translator. He is the author of twelve books of minimalist poetry and poetry for children. Born in Baku, he has resided in Moscow since 1975.

Shashi Martynova (b. 1976) is a Moscow-based poet and artist whose work is devoted to Ireland. She is also a translator, publisher, and author of several books of poetry and prose. She is the recipient of several major awards including the Andrei Bely Prize. She relocated to Greece after Russia's invasion of Ukraine.

Irina Mashinski (b. 1958) is a bilingual poet, essayist, and editor. She is the author of eleven books in Russian and in English, co-editor, with Robert Chandler and Boris Dralyuk, of *The Penguin Book of Russian Poetry*, and the recipient of multiple prizes including the Joseph Brodsky-Stephen Spender Translation Prize. She was born and raised in Moscow and emigrated to the US in 1991.

Julia Nemirovskaya (b. 1962) is a poet and writer, author of six books of poetry and prose. She was born and grew up in Moscow, and was part of the 'new wave' underground group of poets there. She emigrated to Sweden and then the US in 1988. She teaches culture and theatre at the University of Oregon.

Alexei Oleinikov (b. 1979) is a Moscow-based poet and editor. He has authored multiple sci-fi and fantasy titles, as well as many children's books, essays and poems. He is the recipient of several major awards, including the Novaya Detskaya Kniga Prize.

Vera Pavlova (b. 1963) is an award-winning poet and musicologist. She is the author of twenty collections of poetry, librettos to five operas and four cantatas, and numerous essays on musicology. Her work has been translated into twenty-two languages. She was born in Moscow and lives in Toronto.

Julia Pikalova (b. 1971) is a poet, pianist, and business-woman. Born in Moscow, she grew up and was educated in St.Petersburg and California. She lives in Italy.

Sergey Plotov (b. 1961) is a poet and playwright. He was born in Omsk and worked in different theatres in Khabarovsk and

Chelyabinsk. In 2005 he moved to Moscow, where he has been successfully writing for the stage.

Maria Remizova (b. 1960) is a poet, journalist, and acclaimed literary critic. Born in Moscow, she is the author of seven books of poetry and prose.

Anna Russ (b. 1981) is a poet, screenwriter, musician, and founder and lyricist for the band Poprygun i Gvozdi. Born in Kazan, she is the winner of multiple poetic slams and several major awards for poetry.

Dana Sideros (Maria Viktorovna Kustovskaya) (b. 1985) is an award-winning poet, playwright, and illustrator. Born in Kazan, she lives in Moscow. She has written two books of poetry and several plays, and is the recipient of the Slovo Novo festival award, among others.

Olya Skorlupkina, (b. 1990) is a poet, philologist, editor, the author of two books of poetry, and the mediator of the VK forum, *Orden Kromeshnyh Poetov*. She was born and lives in St. Petersburg.

Tatiana Stamova (b. 1959) is a Moscow poet, artist and translator, member of Masters of Translation Guild, author of four poetry collections and several books of children's poetry and prose. Her renderings of Giacomo Leopardi's *L'Infinito*, William Wordsworth's *The Prelude*, and Alfred Tennyson's *In Memoriam* made her a finalist for the Translation Guild's Master Award. In October 2022, she relocated to Israel.

Igor Sukhiy (b. 1976) is a widely-published award-winning poet. He was born in Pogar, Bryansk region, studied journalism, and now lives in Moscow. A book of his poems is forthcoming.

Alexey Tarasov (b. 1981) is an award-winning poet, creator, publisher, and manager of the *NeoGranka* literary website. He lives in Moscow and works as a mathematician in the oil industry.

Danil Faizov (b. 1978) is a poet and founder of *Kulturnaya Initsiativa*, a project helping coordinate Russian literary events, from book presentations to poetry Biennales and book fairs. Born in Igarka, Krasnoyarsk region, he moved to Moscow in 1998, and is the author of four books of poetry.

Yulia Fridman (b. 1970) is a poet, writer, and translator. Her work includes translations of Dr. Seuss and Alexander Grothendiek into Russian. Born in Novosibirsk, she moved to Moscow, where she worked as a research scientist. She currently lives outside Russia.

Alja Khajtlina (b. 1987) is an award-winning poet, blogger, translator, and linguist. She was born and grew up in Leningrad and moved to Germany in 2012.

Borys Khersonskyi (b. 1950) is a celebrated poet, author of nineteen books of poetry and prose in Russian and Ukrainian. He is also a psychiatrist and the chair of the department of clinical psychology in Odesa National University. Born in Chernivtsi, he lives and works in Odesa.

Maja Ceszárszkaja (b. 1951) is a poet, translator, and social worker. She has authored five books. Originally from Zhitomyr, Ukraine, she moved to Leningrad to study, and then moved to Budapest, Hungary in 1973.

Serge Shestakov (b. 1962) is a poet, educator, and publisher. Born in Moscow, he graduated from the Moscow State University Maths Department, and has written ninety books on teaching maths. His seven books of poetry were awarded major prizes including the Moskovskii Schet Prize, and some of his poems have been turned into songs by Anastasia Zelenina. After the invasion of Ukraine, he moved to Brittany, France.

Vita Shtivelman (b. 1960) is an award-winning poet, essayist, translator, and the founder and director of EtCetera, a club of the arts and sciences. She was born in Chernivtsi, grew up in

Kazan, moved to Israel in 1990, and has lived in Toronto since 1999.

Tatiana Shcherbina (b. 1954) is a poet, journalist, and translator. She has authored multiple books of poetry and prose and worked at Radio Liberty. Born in Moscow, she has lived in Germany and France, and is currently in Moscow.

Mikhail Yudovskyi (b. 1966) is a widely-published poet and writer, as well as an acclaimed artist with over two hundred works at various international museums and collections. Since 1992, he has lived and worked in Germany.

Yuriy Yakobson (b. 1971) is a Siberian poet, winner of several regional poetry slams and the King of Poets prize. Born in Ukraine, he lives in Irkutsk, where he works in the field of health management. Author of one published verse collection.

Sandzhar Yanyshev (b. 1972) is one of the most innovative and acclaimed Uzbeki Russophone poets and translators. He was born in Tashkent, and is the founder of the famous Tashkentskaya Poeticheskaya Shkola poetry group. He also organizes poetry festivals, and is the author of several books of poetry. He moved to Moscow in 1995.

The Translators

Maria Bloshteyn was born in Leningrad and grew up in Toronto, where she now lives with her family. She received her PhD from Toronto's York University and was a postdoctoral fellow at Columbia University. Her main scholarly interests lie in the field of literary and cultural exchange between Russia and the United States. She is the author of *The Making of a Counter-Culture Icon: Henry Miller's Dostoevsky* (2007), the translator of Alexander Galich's *Dress Rehearsal: A Story in Four Acts and Five Chapters* (2009) and Anton Chekhov's *The Prank* (2015). Her translations have appeared in a number of journals and anthologies, including *The Penguin Book of Russian Poetry* (2015). She is the editor and main translator of *Russia is Burning: Poems of the Great Patriotic War* (Smokestack Books, 2020).

Andrei Burago was born and raised in Leningrad where he graduated from the Department of Mathematics and Mechanics of the Saint-Petersburg State University. Andrei moved to the US in 1991. He lives in Seattle and works as a software developer. In his free time, he translates poetry, designs board games and volunteers to teach mathematics and computer science to schoolchildren.

Richard Coombes was born in Weymouth, England, and educated in Oxford and Cambridge. He worked for many years as an international tax specialist, and is now a translator. He has also written original stories and songs. Richard's recently published translations from Russian include Akim Tarazi's novella *Retribution*, short stories by Elena Dolgopyat, and poetry by Lyudmila Knyazeva, Dmitry Vodennikov, and Tatiana Voltskaya. Twelve poems in his translation appeared in the Russian World War II poetry collection *Frontovaya Lira* (2021). Richard has a number of translations scheduled for publication, including Pavel Basinsky's thriller *Posmotrite Na Menya*. Since the start of Russia's war on Ukraine, Richard has been teaching English to Ukrainian refugees.

Anna Krushelnitskaya was born on Sakhalin Island and grew up in the Siberian city of Chita, where she graduated from the Trans-Baikal State University with a degree in Foreign Language Education. She taught in Russia before moving to the US in 2004. Her articles on language pedagogy have appeared in *Modern English Teacher* and *ESL Magazine,* as well as in scholarly journals in Russia. She lives in Ann Arbor, Michigan with her husband and three children. In 2019, she published *Cold War Casual*, a collection of transcribed oral testimony and interviews translated from Russian into English and from English into Russian, exploring the effect of the events and the government propaganda of the Cold War era on citizens of countries on both sides of the Iron Curtain.

Dmitry Manin is a physicist, programmer, and award-winning translator of poetry both from and into Russian. He has translated Zabolotsky into English, and Hughes, Ginsberg, Hopkins, Burns, Leconte de Lisle and Mallarmé into Russian. His poetry translations into English have been published in journals, including *Delos, Metamorphoses, Cardinal Points, Cafe Review*, and in Maria Stepanova's book *Voice Over* (2021). Born in Moscow, he now lives with his family in California.

Acknowledgements

Thanks are due to the editors of the magazines and sites where some of the poems were first published, including *East–West Literary Forum, Index on Censorship, Los Angeles Review, No War, ROAR, Russian Life* and *Tochka. Zreniya.*